오롯이 나의 언어

본 문집은 저자 고유의 문체를 살리기 위해 표기와 맞춤법은 저자 고유의 스타일을 따릅니다.

오롯이 나의 언어

조서영 첫 문집

목차

마무리하며

…

당신과 나의 독백이 마주할 때

내 글의 시작은 작은 숨결에 내뱉는 고해성사.
닿는 곳, 들을 이 하나 없는 고독한 독백.

이 독백은 곧 나만의 언어가 되어 여러분에게 갑니다.
나의 언어가 당신의 삶의 어느 순간에 앉아, 어떤 얼굴을 하고 있을지 모르지만,
당신이 행복에 젖어있을 때, 좌절이 끈질기게 삶의 끄트머리를 잡고 늘어질 때, 혹은 어떤 다른 순간순간마다 요란하지 않은 행복으로, 심심찮은 위로로 존재했으면 합니다.

글을 쓰기 시작하고 십수 년이 지난 지금, 지금껏 내가 써 내려간 문장들이 때때로 낯설게 느껴집니다.
하나였던 거울이 조각조각으로 흩어져 각기 다른 풍경을 비추듯, 나로 비롯된 이 언어들이 당신의 안에도 분명 존재할 그 독백과 마주하며 각기 다른 갈래로 흩어집니다.

이윽고 완전히 다른, 낯설지만 어딘가 친숙한 언어로 새로이 피어납니다.

영겁의 시간과 영겁의 삶, 당신의 안에도 다채로운 감정의 길이 드나들길 바라며.

2024년 5월
조서영 드림.

00에게.

어릴 적엔 밝은 빛을 품은 얼굴들이 늘 부러웠다. 그래서 한때는 그 빛을 쫓아다니며 심술을 부렸다. 그 뒤에 가려진 칠흑 같은 어둠을 모르고.

그날은 성인이 된 뒤 몇 해 지나지 않아 술에 절은 한밤중이었다. 나는 그 빛에게 전화를 걸었다.
가로등 사이사이마다 어둠과 빛이 교차된 거리에 소음은 오직 나뿐이고, 땅과 하늘이 조금씩 흔들려 흐릿한 밤이었다.

꽤 오래 이어지는 연결음을 들으며 속으로 얼마나 빌었는지 모른다. 네가 전화를 받지 않게 해달라고.

곧이어 들려오는 여전한 음성을 듣고 있자니, 추욱 처진 눈가에 애써 버티고 있던 눈물이, 추욱 처진 입꼬리에 닿아 턱까지 미끄럼을 탔다.

그리고 나는 무작정 빌었다.

넌 술에 취한 동창의 주정 정도로 생각했을지 모를 일이지만, 그때의 나는 확실히 너에게 빌고 있었다.
나를 용서해 달라고.

내가 몇 마디 내뱉지 않았는데, 금세 너는 또 빛과 같이 답하더라.

알아. 괜찮아.

불 꺼진 집에 들어가 세면대에 물을 틀어놓고 한참이나 울었다.

2021년 1월 15일
너를 향한 애정을 의아해하는 너에게.

작은신발, 아픈관계

만나고 돌아가는 길이었는데,
집으로 걸어가는 내내 절뚝거렸다.
아픈 엄지발가락 때문에.

내 발볼이 넓어서 오래 신으면 신을수록 점점 더 통증이
심해졌는데도, 그런데도 나는 신었다.
좋아서.

2018년
가을의 길목에서

침묵의 말: 누군가 나에게 불행을 이야기할 때

마냥 바라보고 있는 일은 언제나 괴롭다.

말에도 손이 있다면, 끝마치지도 못한 채 앙다문 입 안에 억지로 구겨 넣었을 그 감정을 상냥한 손길로 쓰다듬어 주고 싶다.

그런 자상한 인간이 되지 못하기에, 그러나 나는

그 한 번의 언어에도 갈 길을 헤매다,
집으로 돌아와 깊게 내뱉는 한숨에 겨우 몇 자 적어 내린다.

고작 나는.

2017년 11월 10일/ J.K와의 대화 후

Wednesday
Friday V
Saturday
Memo
10 2017.11
마냥 바라보고 있는 일은 언제나 괴롭다.
그 감정을 상냥한 손길로 쓰다듬어주고 싶다.
어루만져주고 싶다.
그런 자상한 인간이 되지 못하기에,
끝내 내뱉는 한숨에 겨우 몇자 적어내린다.
고작 가슴.

나쁜 X

친구라고 칭하기도 모호한 사이가 되어버렸지만,
그래도 그 비참한 기분에 영원히 동반할 비밀을 지켜주고 싶었다. 그래서 입을 고집스럽게 앙 다물었다. 몸 안 깊숙이 집어넣는다. 마음의 대신이었다.

이렇게라도 널 위로하고, 이유 모를 감정에 울적한 나를 위로하고.

미안,
나는 너의 최악의 날로 위안 삼는 천하의 나쁜 X이다.

2013년 10월 2일

소감

몇 차례의 큰 고비를 넘기고 난 뒤의 소감은 꽤나 거창했다. 눈덩이처럼 불어가는 사건 사고와 그사이를 비집고 들어오는 죄책감에, 나 자신의 것조차 고개를 들고 제대로 마주할 수가 없었다.

그런데 지금에 와서야 깨달은 것은, 비로소 정면으로 마주한 눈앞의 너는,
너는 나에게 있어서 많은 의미로서 처음의 생소함이고,
가슴 저릿저릿함에 눈물 흘리는 사랑이고
그리고,
그리고 나의 모든 것을 품어오는 세계였다.
그렇게 너는 온전히 나를 쥐게 된 것이다.

비록 넌 이 사실을 알지 못하겠지만.

2015년 10월 21일

너에게

오늘 같은, 변함없이 그저 평범하기만 한 내 삶은 '너'라는 존재가 발을 들여놓는 순간을 기점으로 일상에, 시간에, 사소한 모든 순간순간에서 변화의 꽃을 피우기 시작한다. 나를 이루고 있는 모든 것들은 마치 태초부터 너를 위해 존재하기라도 한 듯, 단단히 움츠리고 결코 내보인 적 없는, 몇 계절을 공들여 피워낸 진심을 그 어떤 망설임도 없이 내보였다.

자연스럽게, 한편으로는 그때를 너 또한 알지 못한 채
물 밀려 들어오듯 나를 향해 다가오는 너를,
너를 나는 막지 못했다.

방법을 알지 못했고, 시간이 이렇게 흐르고 있음을 알지 못했고, 내 마음이 얼마나 깊게 흘러 들어가고 있는지를 알지 못했다. 정신을 차리고 뒤를 돌아봤을 땐, 이미 그 시작점은 선으로, 선에서 면으로 꽉 메워져 흔적조차 찾을 수 없는 지경이 되어있었다.

너는 나의 턱 끝까지 차올랐다가, 다시금 심장 아래 깊은 곳까지 내려앉는다. 네가 휩쓸고 간 자리에는 허한 뜨거움이 남아 무던히 나를 괴롭히고, 그 타오름이 끝이 난 후 검게 그을린 자리가 무척이나 쓰라렸다.

하지만

그래도

그래도 나는 그 열기에 잠기고 싶었다.
숨이 멎는다고 해도 상관없었다.
그래도 나는 영원히 잠겨버리고 싶었다고.

너에게.

All those arrows you threw, you threw them away

You kept falling in love, and then one day

when you fell, you fell towards me

When you crashed in the clouds, you found me

Oh, please don′t go l want you so

I can′t let go for I lose control

[Please Don′t Go - Barcelona 中]

2014년 9월 7일

바르셀로나 정규앨범 Absolutes

청춘의 모순

이십대는 외로움의 시기,
여유의 부재.

한 철 청춘을 위해 이토록 바삐 뛰어가고 있건만,
그들은 왜 커다란 구멍을 가슴에 안고 살아갈까.

2017년 11월

마음이 아픈데 신체가 신음하는 일

"세상 사람들이 다 너 나쁘다고 해도, 난 너 나쁘게 안 봐."

너는 네가 나를 잊을 수 있겠느냐고 물었지만,
나 또한 그렇다.
너만큼 나를 사랑해주는 사람을 다시 만날 수 있을까.
비슷한 맥락일까.

더 이상 구차해지지 않고 날 놓아준다고 말하는 순간에도 계속해서 더 구차해지는 너의 음성을 들으면서, 나는 대답 한번을 못 하고 숨죽여 울었다.

마음의 온도가 미지근해졌다고 생각했었는데, 네가 너무 뜨거워서 나도 영향을 받는 걸까.
어떤 마음일까 나는.

좋을 일 생겼을 때, 어떤 일 생겼을 때 연락해도 되냐고 묻는, 덤덤함으로 위장한 간절한 목소리에 나는 가슴 안쪽이 또 저리다.

마음이 아픈데, 신체가 신음하는 일이 늘 신기했다.

2020년 11월 20일
J.W와의 통화 후

웅덩이

아주 오랜만에 마주한 얼굴에 잠시 어색함을 느낄 겨를도 없이, 그렇게 비는 쏟아졌다.
이 장소의 소음들, 상기된 얼굴들, 그리고 지금 내 앞에 앉아 열여덟 그때와 다를 것 없이 충분히 예쁘기만 한 얼굴을 계속 들여다보는 아이와의 대화까지, 모든 것이 그렇게 빗속으로 사그라져갔다.

집으로 돌아가는 길, 더욱더 거세게 내리치는 빗줄기에 속수무책으로 들춰지고 내보여진 마음이 덤덤히 차분해질 차에 예고치 못한 물웅덩이와 마주했다. 나는, 길이 너무 어두워 또 두 귀에 흘러들어오는 목소리에 온 정신이 팔려 미처 그것을 발견하지 못했고, 이내 있는 힘껏 그곳에 두 발을 담근 꼴이 되어버렸다.

오랜만에 신은 예쁜 힐 사이로 파고들어 오는 이질감에, 순간 욱하고 욕지거리가 튀어나오려는 것을 참고 그 자리에 잠자코 서 있자니 또 문득 생각이 들었다.

아무렴 어떻다고.

이렇게나 비는 쏟아지고, 덕분에 메말라 있을 모든 것들이 온몸을 적셨을 테고, 또 덕분에 나는 시끄럽게 머릿속을 울려대던 생각들을 씻어 보낼 수 있었던 것이 아니었나. 나는, 비가 이렇게 쏟아지는데 고작 이 웅덩이 하나에 화를 낼 이유를 찾았었나. 내리붓는 빗줄기가 이렇게나 거센데, 웅덩이 한 열 개쯤 생기는 것은 당연한 일 아닌가.

비로소 발아래 느껴지는 불쾌하기만 했던 이질감에서 새로운 즐거움을 찾는다. 오늘 밤만큼은 너와의 일도 아무렴 어떠냐. 하고 생각할 수 있게 된다.

서둘러 엘리베이터에 올라탔다. 그 웅덩이에 버려두고 온 너를 애써 무시한 채.

2016년 10월 07일
M.S와의 약속 후

기회

- 너도 기회야. 너도 내 인생에서 두 번 다시는 없을 기회라고.

사람이 사람에게 기회라는 말, 문득 떠올리고 나니 주체할 수 없을 만큼 가슴이 뛰어왔다.

아슬아슬한 벼랑의 끝에서 얼굴도 모르는 누군가가 내민 손을 덥석 잡고 이내 안도하는 것처럼, 결국 또다시 미련한 희망을 품게 만드는 말.

나를 생생히 살아 빛나는 삶으로 이끌어 줄 말.

2017년 9월 1일/ 대사를 구상하다가

감각

완전히 독점하고 싶다.
완벽하게, 한 치의 오차도 없이 꽉 메우고 싶다.
온전히 나로, 나의 것으로 혹은 나와 관련된 그 어떠한 것들로든.

본디 '나'라는 인간에 있어서는 자기 자신이 제일 무지한 법이라고 하지만, 이 경우는 너무 많은 수를 훌쩍 뛰어넘지 않았는가. 너무나도 급격한 상승, 관계의 그리고 감정의. 본인조차 감당하기 버거울 만큼.

근래의 나는 끊임없이 생각하는 인간이다.
잠들기 전에, 잠든 와중에, 깨어난 직후에, 깨어난 후 꽤 긴 시간이 흘러서도.
한 인간에 대한 들끓는 감정과 말과 떠오르는 이미지를 끊임없이 방출하고 토해내고 그것들에 내 피부를, 느낄 수 있는 모든 것들의 감각을 문지르고 있다.

가장 먼저 떠오르는 것은,

지독한 담배 향.

코끝이 들썩이고 절로 미간이 좁혀지는.

2018년 2월 11일
To.S

취중진담

행복하자.
언제나 그것뿐.

너 그리고 나,
그것이 어떤 얼굴인지
또렷이 본 적 없지만

늘, 항상, 언제나, 변함없이
오직 그 하나만으로.

2017년 11월
소사벌, S.Y와의 약속에서
취중에 가게 메모지에 적은 글1

파도처럼 부서지는 바람을 듣는다.

파도처럼 부서지는 바람을 듣는다.
가녀린 나뭇잎의 선들이 부딪히는 소리인가 귀를 기울여 보지만, 구분하기가 힘들다. 나는 파도도, 바람도, 나뭇잎들의 움직임도 무엇하나 사랑하지 않을 수 없다. 그렇기에 구분하기가 더더욱 어려웠다. 그 어떤 것도 결코 외로움을 느끼게 하고 싶지 않았다.

그래서 사람을 사랑할 때도 그랬다. 그러면 안 됐었는데. 어떤 마음도 홀로 두지 않으려고 모든 말과 행동을 사랑이라고 믿었다. 아주 필사적으로.

결국 나는 사랑이 변명이 될 수 없는 일조차 구분하기 어려운 지경에 이르렀다.

아주 쉬운 문제였음에도 불구하고.

내 사랑이 그의 발치에서 조각조각 부서졌다가 다시 돌아올 때면 더 아팠다. 그 과정이 반복될수록 조각의 끝은 점점 더 날카로워졌다. 내 발에는 크고 작은 상처가 늘어만 갔다.

이후 그것들이 발가락 사이로 완전히 빠져나가는 것을 보면서 나는 잡을 수도 없었다. 너무 날카로워진 조각이 내 손마저 엉망으로 만들 것이 뻔했으니까.

너덜너덜해진 다리를 이끌고 파도에서 멀어지면서도, 내 눈은 내 피로 남긴 발자취를 쫓았다. 혹여나 아주 먼 날에라도 내가 보고 싶을 때, 이 발자국을 보고 찾아올 수 있겠구나. 하고 안도하며.

왜 그런 사랑을 하느냐고 묻는 이가 참 많았다.
화가 잔뜩 담긴 목소리면서도, 걱정과 애정을 숨기지 못한 눈을 가진 이들이었다. 사랑에 대한 어리석은 나의 선택이 내 사람들에게 괴로움이 될 수 있다는 것을, 이때 처음 이해하게 되었던 것 같다. 그럼에도 불구하고 내가 할 수 있는 대답은 이 말 하나뿐이었다.

그것이 내 사랑이기 때문이라고.

누군가는 이런 사랑을 하기도 한다고.
단지 그뿐이라고.

2022년 9월 16일
오랜만에 류이치 사카모토의 A Flower Is Not A Flower를 듣다가.

안개

내 안에 가득 찬 안개는 그 초여름의 대화를 떠올려도 심장 안에서 덜컥할 뿐, 더 이상 비가 되어 흐르지 않는다. 이 이상기후는 불과 몇 시간 전부터 시작되었다.

돌연 나는 마치 다른 사람처럼 굴고 있다.

많이 앓았나 보다.

2022년 9월 29일

그 후

장마

장마가 시작될 것이라는 예보와 함께 아직 미성숙한 열기 속에서, 나는 문득 낯선 서늘함을 느낀다.

계절은 죽지 않는다. 반드시 살아 돌아온다.

그 어떤 규칙도, 제약도, 방향성도 없이 나를 두드리는 빗방울은 내 머리칼을 스칠 때, 우산 아래로 드리워진 그림자 아래 애써 숨은 양어깨를 쓰다듬을 때 비로소 익숙한 얼굴이 된다.

내 발치에 떨어지는 방울방울마다, 도시의 숨결에 발갛게 상기된 양 볼을 이따금씩 식혀주는 빗방울들이
그토록 뜨겁게 갈망하고, 차지하고, 이내 소모되어버린 내가 죽지 않고 여기 이렇게 남아 있었노라고 말한다.

불사조처럼 매년 돌아오는 이 계절과 같이, 나는 또다시

이렇게 살아있노라고.

이런 때면 세상의 움직임은 옛날 비디오테이프처럼 느리게 감기기 시작하고, 스치는 빗방울의 투명한 표면엔 너의 얼굴이 아린다.

나는, 아직 미성숙한 나의 안에서 다시금 익숙한 서늘함을 느낀다.

감기에 걸리려나 보다.

네가 보고싶다.

2020년 7월 4일
시내에서 J.W를 떠올리며.

그

그날은 날이 몹시 더운, 조금 이른 초여름의 얼굴을 한 봄날이었다. 익숙한 전철, 익숙한 자리에 기대선 스물다섯 살의 나는, 오늘도 어김없이 창밖으로 빠르게 스쳐 가는 이 계절 특유의 푸르름을 응시하고 있었다.

문득 고개를 돌려 바라본 그곳에, 그즈음 나이를 가진 이들의 표현을 빌려 새파랗게 어린 나는 나이조차 가늠하기 힘든 그가 앉아있었다. 평소 사람을 유심히 보지 않는 내 시선이 그날따라 유독 그에게 머문 까닭은, 수많은 인파 속 오직 나와 그만이 핸드폰 화면이 아닌 창문 밖의 풍경을 바라보고 있었기 때문이리라.

옷소매 밖으로 나온 손등에 지나간 세월이 고스란히 녹아있는 그와 스물다섯의 나.

그를 보면서 아직은 먼 훗날을 그려본다.

흰색 반소매 티에 옅은 청색 체크무늬 남방을 걸친 내가 앉아있다. 귀에는 이어폰을 꽂고 시선은 창문 밖, 지금과는 또 다를 이 계절의 변화를 부지런히 담고 있는 나.
그와 같이 어느새 손등에는 세월의 나이테가 고스란히 새겨져 있는 나. 그럼에도 불구하고 여전히 고양이를, 맨발바닥에 닿아오는 차가운 아스팔트의 느낌을, 빗속에서의 춤을, 낡은 종이와 활자의 냄새를, 반고흐의 절망과 생애를, 그리고 조금은 별난 삶을 사랑하는 내가.

지금 이 젊음이 사랑해마지않는 모든 것들을 먼 훗날에도 즐길 수 사람으로 남아 있기를 바라며.

2021년 7월 4일
학교를 마치고 집에 돌아오는 전철 안에서

핏덩이의 삶

힘든 아침이었다.
육체와 정신이 뜻을 함께하는 힘듦은 실로 오랜만이라 당장이라도 사라지고만 싶은 충동을 느낀다.
한동안 입구를 찾을 수 없었던 나의 동굴은, 몇 주째 문을 활짝 열어두고는 어서 들어오라며 연신 나를 유혹하고 있다.

운행하는 버스조차 없는 이른 시간이라 택시를 불렀다. 이어폰을 꺼낼 기력도, 의지도 없던 터라 그냥 앉아있었다. 최근 이사한 내 보금자리가 풍경이 좋아 바라보는 재미가 있겠다는 말소리에, 그제야 산송장 같은 눈을 돌려 목소리를 따라간다. 아니나 다를까, 희망이 덕지덕지 붙어있는 얼굴이다. 그렇게 생각지도 못한 미미한 희망이 내 하루에 흘러들어왔다.

자식들을 위해 고향을 떠나 이곳에 정착했다는 남자의 다들 일하고, 싸우고, 힘들고 그 와중에 또 웃고, 사람 사는 것은 결국 다 똑같다고, 결국 그렇게 살아간다는 말에 나는 무기력함과 얕은 희망을 동시에 느낀다.

매일이 변수인 이 삶을 살아가고 있다는 것에 대하여.
'아, 나는 내가 원했던 삶의 끝자락에라도 걸터앉아 있구나, 누리고 있었구나.'하고 어설픈 평을 내려본다.

책임의 무게가 나를 짓이기려 할 때 즈음이면,
그 말의 무게를 진정 이해하게 될 즈음이면,
내가 아닌 다른 누군가를 위한 삶을 살게 됐을 때,
그런 인생을 기꺼이 받아들이겠다고 다짐하게 될 때,
이 핏덩이 같은 삶을 그리워하게 될까.

이른 아침, 기차역에서 만난 정장 차림의 남자를 생각한다. 미동조차 없이 색채 없는 눈동자는 그저 보고 있을 뿐이라고, 그냥 보이기 때문에 볼 뿐이라고, 세상이 정해놓은 색상표대로.
노란 선 안쪽으로 들어가라는 방송이 나오자마자 반사처럼 튕겨져나가 걸음을 옮기는 그를 생각한다. 저 사람, 핏덩이의 삶이 무엇인지조차 잊었노라고.

엉망진창인 삶의 무더기 속이지만, 결국 그게 좋아 웃고 있다. 웃는다. 결국엔 웃고 싶다고 생각한다.

그것이 오로지 내가 원하는 것이라고.

2022년 7월 21일
Current Joys의 Become the Warm Jets
이른 아침, 역으로 향하던 중에

정의

특별한 것 없는 일상에
작은 틈을 비집고 사랑이 들어오는 때가 있다.

우리는 핏기 없는 얼굴로 시체처럼 늘어져 있다가
사랑, 그것 하나에 비로소 살아 숨 쉬는 생명의 얼굴을 띈다.

우리는 금세 차오르는 감정에 속수무책으로 잠기고, 두 번 다시는 숨이 모자라는 그 고통을 느끼지 않겠노라 다짐한 이조차 또 같은 무모함을 선택한다.

이것이 사랑.

사랑.

사랑.

너의 손에 떠밀려 침식하는 와중에도 너를 떠올리게 하는 것이 사랑.

이 단순한 글자 하나에 마음이 신음하는 것이 바로 사랑.

2022년 5월 12일

넌 감히

세차게 내려오는 비의 발소리를 듣는다.
이내 바닥에 닿아 흩어지는 소리를 듣는다.
갈래갈래 조각나 내리치는 너를 듣는다.

요 며칠 내리 비가 쏟아졌다.
나는 이 장맛비에도 너를 본다.

이 말은,
내가 얼마나 많은 날 동안 네가 없는 너의 날을 보냈는지, 넌 감히 가늠조차 할 수 없다는 말이다.

2022년 7월

이 밤

덤덤히 자신의 상처를 말하는 너를 사랑하게 되었던 것 같다. 그 순간 너의 머리칼을 쓸어 넘긴 건 의도도, 수작도 아니었다. 그냥 그러고 싶다는 생각이 신경에 도달하기도 전에 마음이 먼저 한 행동이었다. 나는 오로지 손길이 너무 거친 것은 아닌지만을 생각했다. 머리칼이 닿는 순간순간마다 긴장하는 나 자신이 웃겨 속으로 웃음을 삼켰다.

어둠 속에서, 먼 불빛에 의존한 채로 나를 찾는 너의 눈이, 그 표정이 좋아서

그래서 나는 그냥 널 사랑하기로 했다.

아무렇게나 벗어 던져진 내 구두가 좋았고, 흰 치마를 입어놓고도 막무가내로 그곳에 걸터앉은 나도, 오로지 나만을 믿고 곁으로 올라와 준 너도.

문득 털어놓고 싶어진 내 사소한 비밀도, 구령대에서 오랫동안 대화를 나누던 학생들도, 시끌시끌 몰려와 파도처럼 사라진 사람들까지.
모든 것들을 사랑할 수 있을 것만 같았던 밤, 사랑하게 만든 너.

우리 아직 서로 시작하잔 말도 하지 않았는데, 사실 나는 이미 마음속으로 말했다.

널 좋아한다고. 여전히 그렇다고.

이 밤의 우리를,
언젠가 한 번쯤 발견할 일기처럼 두기엔 너무너무 아쉬울 것 같다고.

2022년 5월

남발하고 싶은 사랑

날 바라볼 때의 눈빛과 같은 그 말을 사랑해.

그 자상함을 사랑해.

근데 너 이니까 사랑해.

다른 누군가들 말고,
오직 '너'의 그 사랑을 사랑해.

2022년 6월 12일

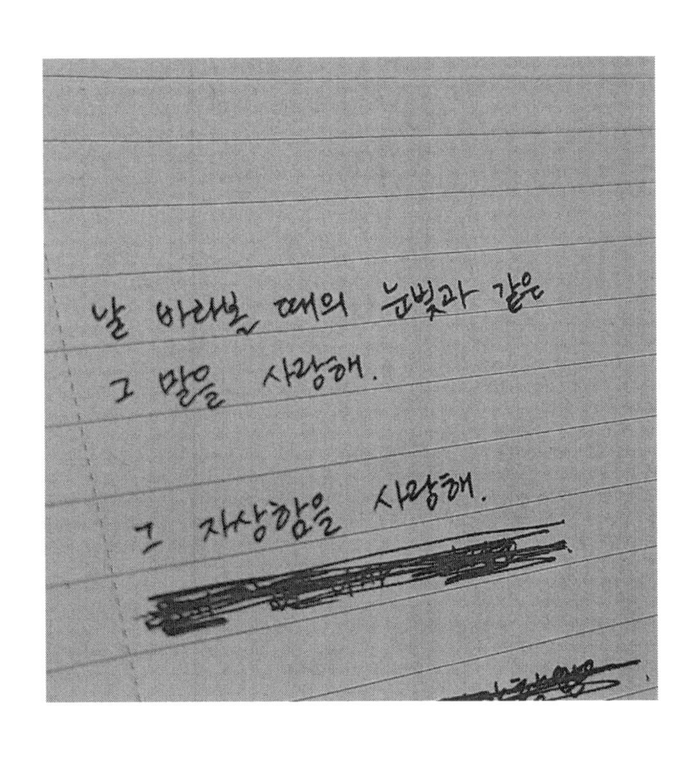
날 바라볼 때의 눈빛과 같은
그 말을 사랑해.
그 자상함을 사랑해.

정의되지 못한 마음

빗물에 휩쓸려가는 하루를 바라본다.
겹겹이 쌓여 왼쪽 가슴을 짓누르던 마음들도 함께 떠내려간다. 그 속에는 해결되지 못한 것들이 훨씬 많다.
하지만 떠내려간다. 그 물살은 너무 거세고 단호해서 당해낼 방법이 없다.

주위를 둘러보니, 발을 동동 구르며 그 물가에 서 있는 건 나뿐만이 아니더라.

정의되지 못한 마음들을 보며 괴로웠던 건,
사실 정의하려 했기 때문임을

이 장맛비에 휩쓸려 허망이 떠나보내고 나서야 알았다.

2022년 7월 14일

첫눈

첫눈이 내렸다.
이제는 정말 빼도 박도 못하게 겨울이다.
꽤나 바삐 살았기에 걸음을 재촉하던 계절을 알아채지 못했다. 이렇게 또 얼렁뚱땅, 나도 모르는 사이에 한 계절이 지나갔다.

아직 거리 곳곳에는 지난 계절의 흔적이 고스란히 남아 있다. 그 흔적 위에 닿았다가 이내 사라지는 새로운 계절을 바라본다. 찬 계절은 조금 이른 등장을 아는 듯, 마찬가지로 당황스러운 표정이다. 한 장소에 두 개의 계절이 흩날리는 풍경은 참 눈물 나게 아름다우면서도, 어딘지 모르게 섬뜩한 얼굴이다.

요즘은 모든 게 순식간에 지나가거나 사라져버린다.
계절도, 시간도, 사람도, 일 년의 목표도.
그중 무엇하나 놓쳐도 마음 편한 것이 없다. 그나마 계절이 가장 쉽다. 미련이나 후회가 적다. 가장 친절하기 때문이리라. 내가 몇 번이고 자신을 놓쳐도, 몇 번이고 되돌아와 몇 번이고 아낌없이 자신을 내보인다.

그중 가장 힘든 것이 사람이다.
시간이 협조적으로 굴어도 미련, 후회, 추억 등 매번 다른 이름으로 사람의 마음에 뿌리를 내린다. 결코 베어낼 수 없는 아주 단단한 뿌리를.

그래서 일 년의 끝이자 시작인 겨울이 오면 가장 먼저 사람을 떠올린다.

'누가 내 안에 가장 단단한 뿌리를 내렸는가.' 하는 것.

2019년 11월 18일
횡단보도 앞에서

그녀

한껏 날이 선 기분에 집을 나서는 그녀를 보지도 않은 채 무심히 대답을 흘렸다. 그녀가 갑자기 방으로 들어와, 등을 보인 채 핸드폰 액정에 손가락을 끄적이고 있는 딸을 끌어안았다. 막내라는 것이 믿기지 않을 정도로 살가움이란 찾아볼 수 없는 무뚝뚝한 딸은, 민망함에 "아 왜 이래"하며 괜스레 툭 내뱉는다. 하지만 이윽고 들리는 그녀의 음성은 한껏 상냥함을 품고 있다.

"엄마가 죽을 때가 다 돼서 그래."

그녀의 눈에는 아직 어린, 나이라는 숫자만 늘어버린 딸이 날이 새도록 그녀만을 기다리던 작은, 아주 작은 울음보로 보이나 보다. 엄마란 다 그렇다고 하더라.

나는 그녀가 젊은 시절에 어깨 조금 아래로 내려오는 빠글빠글한 파마머리를 하고, 그 당시에도 당당하게 미니스

커트를 입은 여자라는 사실을 알고 있다.
자신을 얼마나 사랑하는 삶이었는지, 백일장대회에서 몇 번이나 큰 상을 받았다는 사실도.

2019년 2월 12일

이어붙일 수 없는 조각

꿈을 꾸었다.
세상의 모든 행복이 내게 와주는 듯한 꿈.

봄이 시작의 설레임을 뜻한다고들 하지만, 널 만난 후로 나의 계절은 늘 그랬다. 이 마음은 지금까지 내가 누렸던 것들 중 가장 뜨겁게, 그리고 빠르게 타올랐으니까.
빠른 시작의 끝엔 가속이 붙는다는 것을 몰랐던 그때의 난, 우리는 결국 함께 추락했다. 눈을 떴을 땐, 익숙한 어둠 속에 나 홀로 누워있었다.

눈가부터 귀 뒤 머리카락까지 이어지는 축축한 느낌이 너무나도 선명해 끔찍한 기분이었다. 어딘가 높은 곳에서 밀쳐져 뼈의 마디마디가 조각난 사람처럼 꼼짝할 수 없었지만, 온몸에 이는 소름 끼치는 감각들이 내게 알려주고 있었다. 그 꿈이 끝났노라고.

꿈에서 깨어나니 나의 1년이 조각나 있었다.
이어붙일 수 없는 꿈을 안고 한참을 울었다.

2022년 3월
꿈에서 깨어난 직후, 새벽

함께 만든 마음을 깨부수는 건 늘 내 몫이었다.

관계란, 둘로 함께라는 집을 만들었다가
종국엔 홀로 남아 그 집을 깨부수는 일이다.
함께 만든 마음을 깨부수는 건 늘 내 몫이었다.

마음이 가득 차면 비우고 다시 부시기를 반복한다.
너는 몇 번이나 그 마음을 비웠을까.
스스로 그것을 행하는 일은 지옥이었다.
너는 몇 번이나 이 지옥을 반복했을까.

내리치는 순간마다 떨어져 나간 조각 틈새로
소금기 가득한 마음이 흘러나와 상처를 문질렀다.

곁을 내어줄 수 없는 이 지옥을 너 또한 같은 하늘 아래
서나마 함께하고 있을지 늘 궁금했다.

2023년 2월 17일

나는 아무렇지 않은 사람처럼 다시 잠들었다.

그런 날이 있다.
한참 꿈을 거닐다 놀란 토끼 눈을 하고 일어났는데,
상황이나 사람이 아닌 오직 감정만이 남아 있는 새벽을
견뎌야 하는 날.

내 손끝, 발치에 아무렇게나 널브러져 있는 마음들을 걷어내고 한참을 다독여야 잠들 수 있는 밤.

그런 날은 유독 마음에 찬 바람이 세게 드나든다.
몸을 최대한 웅크려 나와 나 사이의 공간을 메워보아도,
어딘지 모를 틈 사이로 찬 기운이 스며든다.

그리고는 마침내,
내 안 모퉁이에 잘 숨겨두었던 응어리를 울컥하고 토해내면 겨우 그 온기로 잠들 수 있었다.

시곗바늘이 몇 걸음 가지 못하고 다시 잠에서 깨어났을 땐, 차갑게 식어있는 그것을 주워 다시금 안으로 밀어 넣곤 했다.

나는 아무렇지 않은 사람처럼 다시 잠들었다.

어느샌가 이런 날을 반복하고 있다.

2024년 2월 4일
새벽

의연한 얼굴

이상하게도 마음에 가득 채워지는 것들을 보면, 두 눈에는 눈물이 차올랐다. 가령 청완한 하늘을 유유자적하는 구름이라던가, 적막을 가르는 윤슬, 조금 찬 바람, 정적 속에서 흔들리는 나무의 팔다리를 볼 때.
내 안은 늘 무언가로 가득 차 있다가, 이런 엉뚱한 순간에 그것들이 터져 나오곤 했다. 만개한 봄을 만끽하며 흐드러진 꽃잎과 사람들 사이에서도, 나는 괜스레 하품하는 척하며 울컥 올라오는 울음을 도로 삼켰다.

이는 슬픔이 때를 잘못 배운 탓이다. 감정에 대한 반응은 너무 늦지 않게 뱉어져야 뒤탈이 없는데, 의연한 얼굴을 너무 일찍이 배운 사람은 습관처럼 슬픔을 참기 때문이다. 이것이 저주라고 생각되어질 때도 있었으나 어느 봄날, 나는 우연히 본 그녀의 영상에서 뜻밖의 정의를 찾게 된다.

직업이 배우인 그녀는 굉장히 감상적이면서 동시에 엉뚱한 추진력을 지닌 사람이다. 하고자 마음먹은 일은 일단 하고 보는 사람이되, 일이 잘 풀리지 않더라도 웃어넘길 줄 아는 사람. 태생이 밝음에서 시작된 것만 같은 사람. 삶의 순간순간을 즐기면서 때때로 뜻밖의 소감을 내뱉고는 하는 그런 여자. 그런데 이런 그녀가 나와 같은 현상을 겪고 있었다. 그녀는 아름다운 풍경을 볼 때, 벅차오르는 행복을 느낄 때 눈물이 난다고 했다. 어떤 깨달음이 불현듯 뇌리를 스친다. 때를 모르고 불쑥불쑥 고개를 내미는 나의 슬픔은 행복이기도 했구나. 나는 진정으로 행복을 대할 줄 아는 사람이었구나. 슬픔을 참는 대가로 더 깊은 행복을 맛볼 수 있다면, 이 또한 그리 나쁜 삶은 아니라는 생각이 들었다.

여전히 거울 앞에 서면 의연한 얼굴을 한 내가 있다.

2022년 3월 27일
서울로 가는 버스 안에서 하늘을 보다가.

터널

너와 여행한 이후로 처음 강원도로 가는 버스에 올랐어. 목적지도, 창 옆으로 겹겹이 쌓여가는 푸름의 잔상도, 어깨 너머의 인기척도 모두 그때와는 다르지만, 왜인지 나는 계속 너를 느껴.

터널을 지날 때 깜빡이는 등의 속도에 맞춰 지난 시간이 눈앞에서 꺼졌다, 켜졌다 반복해. 그렇게 휙 지나가 버리고, 마침내 그 긴 어둠을 다 빠져나오면 다시 현실이야.

어느 날 문득 터널을 보면서 [저건 인간의 삶이 차곡차곡 쌓이는 이공간이 아닐까] 하는 생각을 했어. 깜빡이는 불빛이 빠르게 지나가면 그게 카메라의 필름 같기도, 주마등 같기도 하거든. 영화에서 터널을 인간의 생과 연관 짓는 이유도 이 때문일까?

아스라이 져가는 어둠의 끝에 다다르면서 생각해.

저 불빛으로 걸어 나가면 네가 있었으면 좋겠다.
다시 한번.

2023년 3월 13일
생일기념 속초 즉흥 여행 中

겁

어깨를 나란히 하며 걷는 길은 유독 즐겁다.
그래서 함께 걷다 홀로 돌아오는 길이 유독 겁이 났는지도 모르겠다.

익숙해지면 빛 한 줄기에도 찾아갈 그 길을.

2022년 7월

끝나가는 계절과

사랑해마지않는 계절의 꼬리를 좇으며
내 한 사랑이 끝나가는 것을 보고 있었다.
하염없이 바라보았다.

날 두고 돌아서는 뒷모습일지언정 잊지 않으려고.

2022년 8월
그 공터에서

어른의 숫자

예전보다 글이 잘 써지질 않는다.
그것이 현재의 내가 과거보다 더 나은 삶을 살고 있기 때문임을 안다.
그런데 내 속은 문득 사무치게 일렁거렸다.
어떠한 것에 대한 뜨거움일까.
그곳에 있던 나는 분명 지금보다 불행했는데.
대충 직감하지만, 마음을 돌려버린다.

어른의 숫자만을 가진 아이가 아직 여기 있다.

2019년 11월

지는 해의 시간

지는 해 앞에서 몇 번이고 널 되새김질해봐.
나는 너한테 어떤 사람이었나 생각해.
밤이 오면 결국 지는 해 같은 사람이었나 생각해.
한때라는 이름으로 지나가 .버린 사람.

하지만 해는 매일 뜨잖아.
지나쳐가면 금세 잊혀지는게 아니라,
그 빛의 잔상이 서서히 마음속에 새겨지는 거.
그러다 결국 눈을 감아도 선명히 그려지는 마음 같은 거.

넌 나한테 그런 사람이었다.
그래서 나는 매일 지는 해 앞에서, 내 삶이 지고 뜨는 매 순간 너를 그려. 아직도.

2022년 11월 5일/ 그 공터에서 2

찬 계절

이 찬 계절이 유독 길다.

너를 완전히 잃고 유약했던 내 마지막 행복까지 완전히 모습을 감춘 후엔, 1년의 마지막이자 시작인 이 계절을 어서 빨리 보내달라고 기도했다. 네 계절 중 세 계절에 네가 있었기에, 맹렬히 떠나 단 한 번도 뒤돌아보지 않는 네가 미워서 나 또한 너 없는 시간에서 새로이 시작하고 싶었다.

그런데 참으로 이상하다.
너와 함께하지 못한 이 계절이 왔는데도 여전히 네가 있다. 되려 점철되어가고 있다.
그리고 계절의 끝이 아득히 멀게만 느껴졌다.
그제야 나는 탄식한다.

아,

마음이 홀로 남겨졌을 때 연소되는 외로움은 그 불길이 더 거세고 길구나. 하며.
나는 자꾸만 주변으로 옮겨 붙으려는 불꽃에 연신 발길질을 해대며 중얼거렸다.

나를 완전히 지나치려거든,
단숨에 베어 가지 그랬느냐고.

2023년 2월 3일

그게 다였다.

폭풍처럼 빠르게 내 삶의 모든 부분을 휩쓸고 간 그 시간은 유독 짧게만 느껴졌다. 행복이 동반하는 불안을 명확히 인지한 것은 내 사랑의 처음이었다.

사랑해서 떠나고 싶었으나, 그럼에도 불구하고 사랑해서 곁에 남고 싶었다. 너를 괴롭게 만들고 싶었던 것이 아니다. 그냥 너를 너무 사랑했다.

그게 다였다.

2023년 2월 3일

행복의 수로

행복의 수로에 머리를 담그고 눈을 감은 적이 있다.
나는 땅 위에선 숨을 쉴 수 없는 사람처럼 굴었다.

하지만 난 그 위에서 살 수밖에 없는 인간이었기에,
숨이 다해 머리를 들어 올렸을 땐 얼굴이며 머리카락이 온통 물에 절어있었다.

천천히 얼굴을 쓸어내렸다.
눈물인지 무엇인지 알 길 없는 축축한 감촉이 주르륵하고 쏟아져 내 손등을 덮쳤다.

그래서 좋았다.

바깥으로든 안으로든 공복과 행복을 구분할 수 없을 만큼 범벅되어진 상태가 좋았다.

물이 코와 귀로 들이쳐 올 때 모래로 상처를 문지르는 듯한 감각이 싫어, 평생 수영에는 눈길조차 주지 않는 나였지만.

너를 만난 후로는 내내 그 수로에 머리를 처박고 싶었다. 늘 그랬다.

2023년 2월 3일

일기

새해 기념으로 브이로그를 만들 셈이었다. 그래서 급히 핸드폰 앨범을 정리했다. 늘 허덕이는 저장공간과, 그에 대한 습관적 짜증을 느끼는 나지만 별수가 없다. 난 기록하지 않으면 죽어버리고 마는 인간이니까. 사진도 글도 병적으로 사용하는 기록의 방식이다. 이 행위에 집착하는 이유는 단 한 가지, 내 기억에서조차 죽어지고 사라지는 나를, 그때의 내 머릿속을 들여다보는 일이 좋다. 때때로 현재보다 더 나은 글을 발견하는 일이 좋다. 아이러니하게도 점점 더해지는 나이의 숫자와는 반대로, 더 어린 내가 쓴 글에 애정이 간다. 저런 표현은 어찌 생각해냈는가? 하는 생각도. 그때의 난 분명 엄청난 혼돈 속이었는데, 글은 좋은 것이 많이 나왔다.

해가 갈수록 나의 뷰파인더가 변화하는 것을 지켜보는 일이 즐겁다. 작년엔 특히 그랬다. 많이 변했고 성장했다. 어떤 사물이나 풍경 등을 볼 때, 마치 카메라 뷰파인더

안에 있는 것처럼 나만의 구도가 잡힌다. 스르륵 시선이 지나치려다가도, 몇몇 조합이 들어맞는 구간에서 사진으로 찍힐 모습이 대충 머릿속에 구현된다. '이 조합 좋다!' 라고 느끼기도 전에 셔터를 누르고 있다. 모두가 이런 생각을 가지고 촬영하는 것은 아니라는 사실을 최근에서야 알게 되었다. 또 문득 떠오른 생각인데, 사진은 이래서 좋다. 그림이나 글, 디자인처럼 무던히 노력하며 애쓰지 않아도, 그저 세상을 바라보는 것만으로도 눈이 길러진다. 난 열심히 내 눈에 담고, 세상이 주는 것에 감탄하고, 그것을 기록한 것뿐인데 주변에선 내 사진이 좋다고 말해준다. 누군가는 이 말을 들으면 나를 미워할까? 그래서 이곳에 쓴다. :)

본인이 가진 재능이 너무나도 쉽게 초라해지는 세상을 살아가면서 점점 이런 것들에 집중하게 된다. 과시하지 않고, 묵묵히 홀로 사유하고 깨우치며 삶을 풍요롭게 가꿔나갈 수 있는 방법들.

2023년 1월 13일의 기록

비슷한 사람, 비슷한 사랑

이맘때쯤 나는 노 씨와 거의 매일 밤 통화를 했다. 우리가 나눈 대화의 주제는 흔히 '아는사람'이라고 칭하는 이와 나누는 대화의 범주를 초월해 있었다. 양적으로 그렇지만 대화의 주제가 그러했다. 별 대수롭지 않은 이야기부터, 남이기에 털어놓을 수 있는 아주 깊은 이야기까지. 언젠가 냉정과 열정사이 Rosso 에서 좋아하는 구절에 관해 이야기하던 중, 자연스럽게 서로의 마지막 연애로 주제가 옮겨갔다. 생각보다 노 씨는 나와 비슷한 사람을, 사랑을 겪었다. 이 친구의 전 연인은 우연인지 나처럼 디자인 전공이었고, 내가 그랬듯 상대방의 변함을 끊임없이 서운해했다. 나는 이 말을 했으면 안 됐는데, 결국 하고 말았다.

"연락의 텀이나 방식이 변하긴 했어도, 마음은 변한 게 아니지?"

대답은 예상대로 간결했다.

"응, 그렇지."
이 대목에서 나는 완전히 무너졌다. 그가 마지막에 내게 한 말이었다. 날 좋아하는 마음은 단 한 순간도, 조금도 변한적이 없다는 말을 그땐 믿을 수가 없었다. 난 마음과 행동이 직결되는 사람이니까. 그땐 그 잔잔한 애정에 의구심을 품었다. 돌이켜보면 그 애는 금이 간 믿음을 다시 이어 붙이려 무던 노력을 하고 있었다. 자기만의 방식으로, 아주 신중하게. 내가 사랑한 그 자상함은, 오직 그때의 나만이 누릴 수 있는 특권이었다는 사실을 지금에 와서야 절실히 깨닫는다.
그 순간, 전하고 싶은 마음이 넘쳐흘렀다. 하지만 우리는 이 넘친 마음도 닿을 수 없는 먼 곳에 와있었기에, 나는 그 많은 말 중 간신히 한 가지를 골라 조용히 흘려보낸다.

내게 준 그 귀한 마음, 이제는 미움이 아닌 고마움으로 간직하겠다. 라고.

2023년 1월 5일

비가 내려오는 날

비가 내려오는 날은 사람들이 창밖을 내다본다.
무심하던 눈동자에 촉촉이 젖은 세상이 담긴다.
다들 무슨 생각을 하는지 알 수 없는 표정이지만

완전히 개인이었던 이들이, 그토록 개인이길 원했던 이들도 이 순간만은 한 곳을 바라보고 있다.

그것이 나를 울고 싶게 만들었다.

지금 떨어지는 이 빗방울들,
도착점을 알고 그 긴 여정을 시작했을까.

이토록 많은 이들의 바지 끝단을 적시고,
목마른 것들을 채워주고,
혼자 쓸쓸히 걸었을 그 누군가의 길을 쓸어주네.

나도 이 빛방울이고 싶다.
도착점을 알 수 없어도, 누군가의 작은 마음 한켠 적실 줄 아는.

빛방울은 빗방울에 비친 도시 불빛을 묘사한 의도된 표현입니다.

2019년 11월

고속버스 안에서

익숙한 숫자

혹시라도 양심의 가책 따위가 문제라면, 내 알량한 자존심은 다 버려져도 좋으니 단 한 번만이라도 내 잔상을 그리기를. 한때 익숙히 찾았던 그 숫자를 눌러 가벼운 안부라도 전하기를 간절히 바라기도 했다.

만약 정말 그렇다면 완전히 늦기 전에 그리하라고.
내 안에 남겨진 너의 잔상이
가는 시계 초침에 긁혀 완전히 사라지기 전에.

2022년 11월 2일

풋사과

눈을 깜박이는 순간마다
시간이 멈췄으면 좋겠다고 생각했다.

영글지 못한 내 계절들은 속절없이 지나가고 있었기에.

꽉 쥔 손을 펴 보아도 깊게 패인 손톱자국뿐이었다.

그런 까닭인지 내 손가락 끝에선 늘 비릿한 풋사과 냄새가 났다.

2023년 2월 1일
시간의 속도를 실감하며

나의 오랜 친구였던 사람에게

너와 연이 끊기고 꽤 오랜 시간이 흘렀다.

우린 달랐지만, 또 많은 부분이 비슷했다.
주변에선 우리를 보고 연신 같은 얘기를 늘어놨지.
너희 둘이 어떻게 절친인지 모르겠다. 라는.

너에겐 내 오랜 치부를 내보여도 전혀 부끄럽지 않았다.
별거 아니라는 듯 대하는 네가 좋았어.

서로를 가장 친한 친구라고 말하곤 했던 우리였는데, 난 생각보다 너를 더 몰랐던 것 같다.
너의 마지막 말에서, 나는 그제야 비로소 온전한 너를 본 것 같아.

무슨 말이라도 했었어야 했는데, 일언반구조차 할 수가

없었다. 실은 그 연락을 받은 날 저녁, 메모장에 답을 미리 적어놨었지만 보내지 않았지. 보내고 싶지 않았어. 내 안에 남은 아주 조금의 의지까지 완전히 사라진 기분이 들었거든.

15년이라는 시간이 회의감을 업고 내게 몰려왔다. 근데 그게 너라서 더 그랬어. 생각에 생각이 꼬리를 무는 밤이 지나가고 나서야 그 답을 알아냈지. 아, 우린 생각보다 더 멀리 있었구나. 마찬가지로 너 또한 나를 온전히 이해하며 살아온 게 아니었구나. 하긴, 우린 다른 만큼 상대방의 선택과 삶에 대해서 관여하지 않는 방법으로 관계를 유지해 왔으니까, '온전히'라는 단어는 사치려나.

왜 나에게 마저 너를 숨겼어야 했는지 묻고 싶지만,
더는 궁금해하지 않을게.
그냥 내가 알던 너로 기억할게.

원망이나 자책을 이유로 이렇게 갑자기 글을 쓰는 게 아니야. 또 네가 이 글을 언젠가는 볼 수 있으리란 기대도 하지 않아.

너는 너대로 살아. 너답게.
꼭 잘 지내라.

단지 이 말을 해주고 싶었다.

이것이 우리의 15년에 대한 조의이자, 너에게 받은 마음의 답례이다.

2024년 5월 24일

편안한 웃음

친구일 때 우리는 내내 즐거웠다.
새벽까지 이어졌던 대화 속, 오가는 말을 타고
떨어지는 벚꽃잎처럼 서로의 웃음소리가 흐드러졌다.

연인이 된 지금과는 어떤 부분이 다르냐는 물음에 그가 답했다.

"웃음이 편해졌어. 편안해졌어."

편안함과 설렘을 굳이 택하라고 한다면 후자 쪽인 나는 이 말이 어려웠다. 편한 웃음이란 어떤 것일까. 난 사랑에 있어서는 늘 직설적인 사람인지라, 그 말이 의미를 쉽사리 헤아릴 수 없는 시처럼 느껴졌다.

그런데 그 말은 시가 맞았다.
잔잔한 파동으로 천천히 마음의 끝까지 와닿는, 은유법을 한껏 활용한 시. 정신을 차려보니 그의 옆에서 사랑을 논하는 나의 방법도 조금은 그와 닮아가고 있었다. [사랑해]와 같이 직관적인 단어가 아니더라도, 함께인 이유만으로 발현되는 다양한 풍경들, 익숙히 행하게 되는 사인들이 사랑의 또 다른 모습이 될 수 있다는 것을 이해하기 시작했다.

어느새 나는 그와 같이 편안한 웃음을 짓고 있다. 실은 그 의미를 온전히 이해한 것은 아니다. 하지만 더 이상 이해를 위한 노력을 하지 않는다. 편안함이란 이런 것이었다. 억지스러운, 작위적인 이해가 동반되지 않아도 자연스럽게 스며드는 것. 관계의 정당성을 갈구하지 않게 되는 것.

그의 웃음 앞에서 유독 무력해지는 나를 생각한다. 그 편안함 웃음. 편안함이 우리만의 의미로 재편되어 특별함으로 다가오기 시작했다.

난 완전히 항복해 버렸다.

2024년 5월/ 0114와의 통화를 떠올리며

네잎클로버

이십 대 후반의 다 큰 성인 남자가, 자신의 무릎을 겨우 넘길 정도의 어린아이도 관심을 갖지 않는 한 식물을 무던히 찾고 있다. 그렇게 수풀 사이를 한참이고 뒤적이던 너의 뒤통수를 떠올린다. 평소 나의 감상에 현실을 끼얹고는 하던 네가, 미신에 가까운 그 행위를 기꺼이 행하는 모습을 보면서 생각한다.

고작 나라는 사람을 위해 행운을 찾아 헤매는 네가 나의 행복이구나.

늘 생각했다. 등잔 밑에 숨겨져 있는 행운을 찾아내기 위해선 행복을 먼저 알아야 한다고. 자신이 행복해야만 비로소 행운이 보이기 시작한다고. 넌 그 말의 증명이었다.

그날 네가 건네준 마음을, 나라는 사람이 받은 것이 바로 행운이었음.
너와 함께 만든 행복 속에서 절감하는 순간이었다.

2024년 6월/ Dear.0114

행복으로 와준 사람

문득 누구에게도 쉽사리 털어놓지 못했던 나의 이야기를 너에게 보여주고 싶었던 건, 그만큼 나 또한 그 일에 무뎌졌다는 뜻이기도 하겠지만, 그만큼 너를 깊게 생각하게 되었다는 뜻이기도 하겠지.

그 찰나에 정말 많은 고민을 한 것 같아.
그래도 이후엔 후련하더라.
평생 눈앞에 두고 씨름하던 문제를 마침내 풀어내고야 만 기분이었어.

그 사람이 너여서 어찌나 다행이던지.
너처럼 기꺼이 눈물지어줄 수 있는 사람이어서.
별것 아닌 나의 짧은 글에도 평생 잊지 못할 순간이라는 과분한 말을 해주는 너여서.

고마워.
내 행복으로 와줘서.

나 역시 그때, 너의 그 표정을 잊지 못할 것 같아.
영원히.

2023년 4월 31일
Dear.0114

2023. 04. 30

재재

그와 알고 지낸 기간은 사실 그리 길지가 않다. 대학교 졸업까지 6년이라는 시간 동안 제대로 된 대화를 나눈 것은 고작 졸업 시즌 1년. 짧은 인연이지만 왜인지 그에게 마음이 갔다. 정중한 태도가, 취향이 묻어난 단정한 옷차림이, 신중한 말의 쓰임까지.

이후 대화를 나누면 나눌수록 난 일언반구조차 쉽사리 내뱉을 수 없었다. 그의 언어가 너무나도 다정해서, 또 글을 쓴다는 나조차도 생경한 언어가 많아, 혹여나 미흡한 나의 실체가 그에게 실례가 되지는 않을까 걱정이 되었다.

특별한 것 없던 생일날, 그는 나에게 만년필을 선물했다. "잉크에 마음을 담아 한 자 한 자 글로 전하길 바라"라는 짤막한 말과 함께. 난 아직 그 만년필을 사용하지도 않았는데, 벌써 마음으로 글을 쓴 기분이었다. 그의 말에는 그런 힘이 있었다. 뭐든 할 수 있다고 생각하게 만드는. 아까워서 사용할 수 없을 것 같다는 나의 말에 그는 또다시 너무나도 쉽게, 쉽지 않은 말을 내뱉었다.

“만년필은 수만 년을 쓸 수 있는 필기도구라는 설이 있잖아. 원 없이 쓰도록 해. 그리고 만년필 선물 뜻이 ‘당신의 성공을 기원합니다’ 이니까, 네가 써야 그 뜻이 온전히 빛을 보겠지?”

“내가 만년필이라면 내 잉크가 마르지 않았으면 좋겠는데, 넌 안 그래?”

그의 입 밖으로 뱉어지는 한마디 한마디가 책의 문장 같았다. 한번 읽기 시작하면 속절없이 빠져들고야 마는 그런 책. 나는 그를 이해하려 무던히 노력하며 고작 이런 대답이나 할 수밖에 없었다.

“너 이거 빨리 글로 기록해라, 안 그럼 내 책에 싣는다?”

돌아온 대답은, 더할 나위 없이 완벽한 마지막 문장이 되어 내 마음 한편에 담겼다.

“나야 네 책의 한 문장이 된다면 영광이지.”

2023년 3월 15일
재재와의 대화 中

글을 쓰는 이유

활자에, 언어에 기생하여
목숨을 부지하는 상념들.

이것들의 절실함을 사랑한다.

쓰임 없이 사라질 공포를
나는 잘 알고 있다.

2023년 3월 22일
재재의 만년필 선물 기념

재재의 답시

나 역시 그 절실함을 사랑한다.

닳아 해진 흔적은 내 앞의 서릿발을 가를 만큼
예리해졌다는 걸 나는 잘 알고 있다.

「글을 쓰는 이유」에 답하는 시
2023년 3월 23일

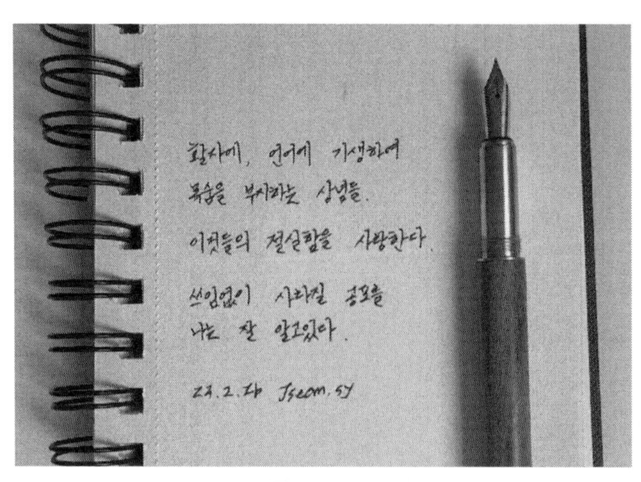

2023년 3월 23일

나 역시 그 절심함를 사랑한다 닳아해진 흔적은 내 앞의 서릿발을 가를만큼 예리해졌다는걸 나는 잘 알고 있다.

거봐...

네가 작가 해야 된다니까?

너의 물음에 나 역시 답언했을뿐이야

기절

너의 물음이 좋아서

이건 진짜 책에 실어야 겠다

재재의 답시라고 넣을게

부서지고 이내 더 단단해지고

요즘 마음이 조각나 쉽사리 잠들지 못한다. 서 있다가, 책상 앞에 앉았다가, 외투를 대충 걸쳐 입고 새벽 거리를 한참을, 몇 번이고 서성거린다. 그런데 이 거리에마저도 네가 있다. 그래서 나는 또 걸었다. 근데 어딜 가던 네가 있다. 가을바람이 여름을 밀어내고 있던 시기부터 줄곧 그랬다. 도망친 곳에 더 집요한 그리움이 있었다. 그래도 그때는 그리움뿐이었는데, 지금은 너무 많이 조각나서 어찌할 바를 모르겠다.

그냥 내 세상이 다 끝나도 좋을 것 같다는 생각을 종종 했다. 그러면 네 생각을 안 해도 되니까. 너를 그만 그려도 되니까. 한편으로는 네가 없는 내가 나인가를 생각한다. 아주 오랜만에 나를 다 내주어도 좋을 듯한 사람을 만났는데. 그래도 이건 너무 아프지 않나.

자학에 가까운 그리움은 나를 난도질한다.

매일 새벽, 잠에 들기 전 조각난 마음을 주워 가슴에 끌어안고 울었다. 혹시 내 눈물로 이 마음을 다시 이어 붙일 수 있지 않을까? 그때 네가 다시 와주지 않을까? 하면서.

매일아침, 퉁퉁 부은 눈을 하고 일어나면 더 단단해진 그리움을 느낀다. 그리고 새벽이 되면 또다시 부서짐을 반복한다.

더 단단해져서 잘 깨지고, 더 쉽게 조각나는 마음.

2023년 1월 20일

밤에만 사는 마음

밤에만 사는 마음이 있다.

어떤 마음은 그랬다.

혹여나 실날같은 빛 한줄기 타고 너에게 닿을까 고이고이 접어 두었다가 한낮의 소리가 모두 잠들 때, 그때 품 안에서 겨우 꺼내 펼쳐보고는 했다. 부욱 찢어 책상 서랍 모퉁이에 던져놓았다가, 이따금씩 펼쳐보는 비밀일기처럼.

그때마다 물웅덩이가 늘어갔다.
내 볼에서 반짝이던 물방울은, 이내 응어리진 마음의 무게를 싣고 턱 끝에서 툭 하고 글자 위로 떨어진다. 어떻게 눌러 담은 마음인데 잉크가 번져 갔다. 어느덧 글자는 흐릿해졌다.

괜찮다.

이미 다 외워둔 마음이다.

나는 이제 너 없이도 너라는 글을 쓸 수 있게 되었다.

[나태주-내가너를]의 한 구절에 영감을 받아 쓴 글입니다.
2023년 2월 1일

빠른 걸음

함께 걸을 땐 늘 내가 한 발자국 앞서 있었는데
혼자 걷는 지금, 신기하게도 너와 속도를 맞추고 있다.

돌이켜보니 난 이런 사람이더라.
그런 내가 이상하게도 너의 옆에만 서면 걸음이 빨라지더라. 불안인지, 겁핍인지, 감당할 수 없을 사랑이었는지.
더도 말고 덜도 말고, 그냥 딱 나대로 걸었으면 됐는데.

첫 순간, 웃음 위를 돌며 몇 시간이고 나눴던 말들을 떠올린다. 조금 어색하긴 했어도, 어쩌면 그게 가장 나다웠을지도 모른다는 생각에 잠긴 채 계속 속도를 맞췄다.

널 향한 마음은 그때가 가장 날것의 것이었다.

2022년 9월 21일 그 산책길에서

바람

해가 구름에 가렸다.

바람이 한 치의 망설임 없이 나를 지나쳐,
녹음이 무성한 나무의 나뭇잎 사이사이를 가르는 모습을
보면서 생각해.

보고싶다.
나 또한 한 치의 망설임 없이.

2022년 9월 19일
그 정자에서

무뎌진다는 것

무뎌진다는 게, 결코 소멸은 아니더라.

대면하고 전할 수 없어 혼자 읊조리는 마지막 인사는
너무나도 아팠다.

23년 4월 2일
김지수의 Mokpo of Old Memory
계단 꼭대기, 그 자리에서

바다

바다에 가고 싶어.
우리 함께 한 첫 여행에서 결국 함께 들어가지 못했던 그 바다.

내가 사랑해마지않는 낮은 웃음소리는 귓가에 맴돌고, 마주 잡은 손은 따뜻하고
온통 축축한 몸, 주변 사람들 아랑곳하지 않고 우린 무작정 일렁이는 파랑 안으로 뛰어들어.
아무렇게나 벗어 던진 신발은 안중에도 없이 발등 위로 모래집을 만들며 깔깔거리고, 그 흔한 이름 쓰기도 하고.

그런데 잠잠하던 파도가 문득 심술을 부려 순식간에 우리 함께 써 내려간 이름을 덮쳤어.

그때 네가 말하는 거야.

우리에겐 앞으로가 있으니까 다시 와서 쓰면 된다. 그것마저 지워지면 또 쓰면 된다. 몇 번이 되던 상관없다.

그러니 얼마든지 내어주자고.

바다에 가고 싶어.
우리에게 처음이자 마지막인 그 파랑 앞으로.

2023년 4월 2일
신지호의 그 여름, 그 바다

소품샵「유리알유희」포스터

문득

그림 같은 하늘을 품은 나무 사이를 걷다가 문득 생각했다. 세상엔 이토록 많은 불행이 있으니 나까지 불행해질 필요는 없다고.
굳이 굳이 불행을 찾아 살지 말자고.

햇빛 좋은 날, 이 풍경 아래를 걸을 때면 그저 행복하기만 하면 그만이라고.

2022년 5월 10일
늘 걷던 그 길

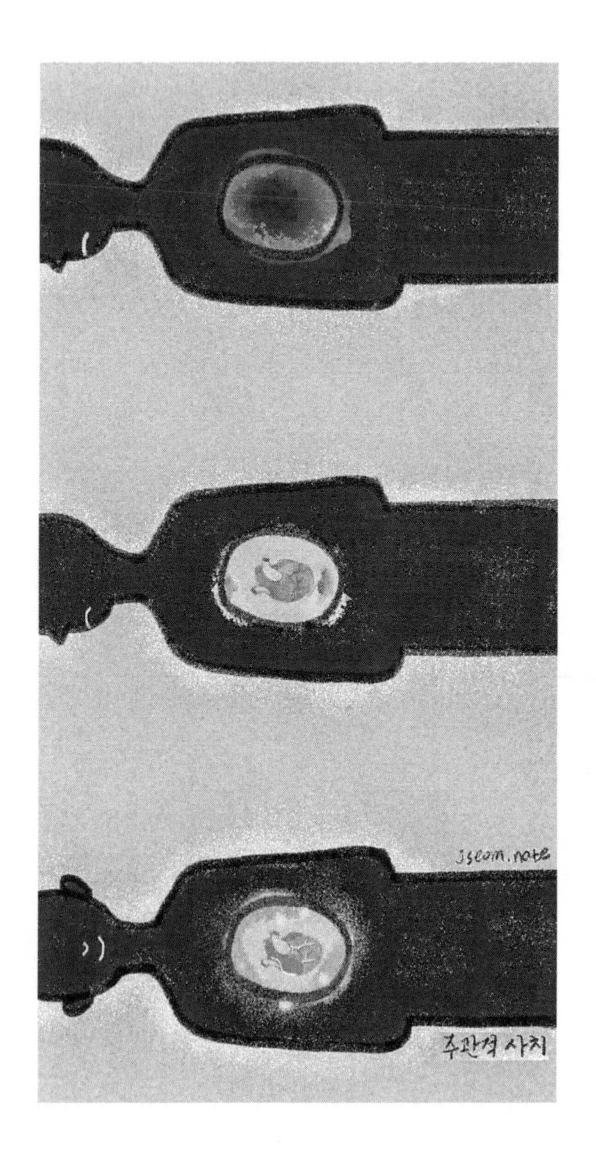
jseom.note
주관적 사치

주관적 사치

비로소 철없음을 무기로 삼을 수 있는 시절은 다 지나갔다고, 문득 느낀 어느 날의 기록이다.

불행한 꿈을 꾸었다고 생각했다. 그러나 누군가에겐 불행도 사치였다. 얼굴이 뜨거워 창문을 열어 머리를 내밀었다. 두 팔로 창틀을 지탱하고 있어 중심을 잡을 때마다 다리가 대롱대롱 흔들렸다. 우스꽝스러운 모습이었겠지만, 그래도 아주 좋았다.

나는 아주 불행한 사치를 누렸으나 오늘 올려다본 하늘은 파랗고, 선선히 불어온 바람은 내 마음까지 통했다.

여전히 많은 것들을 알 수 없지만, 그런 날들이 이어지겠지만 무엇이 내 길을 막을까, 어떤 실패가 있을까 하는 걱정보다는 내가 그토록 사랑해마지않는, 낯선 가능성이 가져올 재미있을 일들을 기대하고 싶어졌다.

나는 조금 더 사치를 부려 나만의 행복을 꾸기로 했다.

2022년 3월 14일
창문 밖 하늘을 바라보다가.

바른 다정함

이해할 수 없는 많은 이유를 껴안고 너와 시작한 지 얼마 지나지 않은 어느 여름날이었다. 그 당시 너는 빠르게 열기를 나르기 바쁜 이 계절처럼 치열한 하루를 보내고 있었다. 해도 없는 이른 새벽에 출근을 하고, 시끌벅적했던 낮의 거리가 잠에 들려 하는 밤이 되어서야 퇴근하는 것이 너의 일상이었다.

그날, 비교적 이른 퇴근길에 오른 너와 늦은 안부를 나눴다. 오늘 하루 어땠냐는 말에 네가 답했다.

"오늘이 제일 힘들었는데, 영이 네 목소리 들으니까 힘든 날이 아니었나 보다"

오랜만에 듣는 나의 밝은 목소리가 얼마나 그리웠는지 아냐고 이어 묻는 너의 음성을 들으며, 나는 글로 배운 '바른 다정함'이 무엇인지 피부로 실감했다.

너는 그런 사람이었다. 문득 삶의 곳곳에 날아드는 소소한 행복으로 부정적인 감정을 스윽 밀어내는 사람. 오늘 겪은 이 힘듦도 너와 함께하는 짧은 대화 한 번이면 별거 아닌 일이 된다고, 그런 대단한 말을 내뱉고는 아무렇지 않게 씨익 웃어 보이는 사람. 자신이 어떤 말을 내뱉었는지 가늠조차 하지 않는 사람. 그 잔물결 같은 감정을 넘실거리며 다가와, 이내 나의 파랑까지도 삼켜버리고 마는.

사소한 불씨로 시작되는 불쾌함은 아주 작은 바람에도 거대한 화염으로 몸집을 불리기 십상인데, 너는 아주 쉽게 그 불씨는 꺼트리고는 눈길조차 주지 않은 채 앞으로 나아간다. 그리고 너무나도 다정하게 말하지 않는가. 그럴 수 있지. 하며. 또 그것이 덕분이라고 너무나도 쉽게 말하지 않는가.

바른 사랑 안에서 무럭무럭 자라 자신만의 뿌리를 내리는 너를 본다. 너의 곳곳에서 자라난 바른 마음은 이내 다정함으로 열매를 맺는다. 무르익은 열매의 향기와 맛을 실컷 음미한 이는 그 나무를 사랑하지 않을 수 없게 된다. 이는 불가피한 일이다. 물론 그 다정함이 마냥 좋기만 한 것은 아니었다. 그 열매는 나 뿐만이 아니라 그 누구라도 쉽게 맛볼 수 있는 것이 바로 문제였다.

문득 가까운 지인과의 대화를 떠올린다. 너의 다정함을 사랑해서 너무 행복하기도, 불행하기도 하다는 나의 말에 그는 답했다.

"근데 그게 또 너한테만 그런다면 문제가 있다? 다른 사람들한테는 막 대하고, 너한테만 다정하다는 건 인성의 문제잖아. 그게 좋아서 시작했다면, 너도 어느 정도 감수해야 하지 않을까?"

단단한 뼈 같은 말이 여린 살결을 뚫고 들어온다. 날것의 시선으로 사회를 투영하고 재건축하는 작가다운 조언에, 나는 무기력한 한숨을 곁들인 동의의 고갯짓을 두어 번 하는 것이 고작이었다.

맞다. 나는 너의 바른 다정함이 아닌 올바른 다정함이 좋았다. 그것을 소유의 도구로 사용하는 것이 아닌, 온전히 자기 자신으로 바로 세운 사람. 기어코 사랑할 수밖에 없는 사람, 내가 지금껏 갈망하던 마음의 태도를 가진 너. 넌 내게 불가피한 사랑이고 사람이었다.

번외) 다정한 열매를 맺는 나무

다정한 열매를 맺는 나무가 있다.
나는 우연인지 필연인지 그 곁을 지나는 와중이었다.
나무의 열매가 내 손바닥에 툭 하고 떨어졌다.

한 입 베어 먹었을 뿐인데 그 다정함에 단번에 사로잡힌 나는, 가려던 길도 망각한 채 오직 나무만을 바라보고 서 있었다. 주위를 둘러보니 나 말고도 많은 이들이 있었다. 모두 그 열매를, 아니 그 열매를 맺는 나무를 갈망하고 있었다. 나는 나무의 마지막 열매를 갖고 싶어 거센 빗줄기와 눈보라를 뚫고, 쏟아지는 잠을 견디며 내내 그곳에 서 있었다.

종국엔 그 열매를 손에 넣을 수 있을지 알 수 없다. 지쳐 쓰러진 사이에 누군가 가로채 갈 수도 있는 노릇이었다.

사실 아무렴 상관이 없었다.

한번 맛본 다정함은 평생 마음에 담기니까.

어느덧 무더운 계절이 돌아오고, 나는 다시금 떠날 채비를 하고 있다. 한동안 잊고 있었던 목적지를 떠올리며 한 발짝 내디뎠다. 내 손안에는 그 열매가 없다. 빈손에 들려있는 열매의 잔취가 코 끝을 간지럽힌다.

입술 끝에 남아 있는 너의 다정함을 훔쳤다. 열어진 열매의 단맛을 음미하며 천천히 앞으로 걸어갔다. 곁을 지키지 않아도, 내게만은 그 다정한 마음이 계속 남아 있기를 바라며.

2024년 6월 26일
0114와의 대화를 떠올리며.

취중 덕담

내 15년을 잃고 그 응어리를 남몰래 삼키며 지내던 어느 날이다. 2023년을 맞이하고 시간이 꽤 지난 뒤, 문득 새해 복 많이 받으라는 말과 함께 날아든 너의 카톡이다.

"너랑 나랑 잠깐 사이에 친해진 거 보면 나랑 맞는 사람, 나를 이해해주는 사람이 있다. 라고 생각하는 거지."

"제삼자로 틀어질 인연이라면, 맘 편히 내려놔."

이 녀석은 늘 그랬다. 고민거리를 죽 늘어놓으면 별일 아니라는 듯 심드렁한 얼굴이었다가, 얼큰하게 취기가 오른 밤이나 새벽에 머쓱한 위로를 내놓고 도망가는.

그런데 난, 네가 보낸 이 말을 몇 번이나 곱씹었는지 모른다. 이 밤이 지나가는 줄도 모르고.

거창한 위로의 말 보다 덤덤히 곁에 와 앉는 말이 더 큰 위안이 될 때가 있다.

너는 늘 그랬다.

2023년 1월 22일
To.M

비를 피하는 법을 모르는 사람처럼

쏟아붓는 비처럼, 너는 인정사정없이 내게 들이쳤다.

나는 그 마음에 몇 분 서 있지도 않았는데, 금세 온몸이 다 젖어버렸다. 내 바짓단이나 적실 거라고 생각했던 이 비는, 언젠가 결국 거름이 될 내 작은 몸뚱이의 뿌리에까지 닿으려 한다.

수분을 머금은 것들은 언젠가 마르기 마련인데, 넌 도통 마르지도 않고 나의 온 살결에 달라붙어 있다. 그런데 난 또 이 축축한 서늘함이 썩 나쁘지 않아 계속 그 빗속에서 있다.

마치 비를 피하는 법을 모르는 사람처럼.

2022년 7월 13일 장마

진심

방황했던 그 시간 동안 참으로 많은 이야기가 하고 싶었다. 도대체 어떤 마음이 그리도 가득 차 있었길래.

우리는 정말 많은 말을 내뱉었다. 때론 하면 안 됐을 말들까지도. 그런데 정녕 하고 싶었던 말은 따로 있었다.

아니 사실 이미 했지만, 반복되는 다툼에 흐릿해져 갔다.

사랑한다. 너를 아주 많이.
이 불안 속에서도 여전히 너를 사랑하고 있다고.
너에게 소리치는 이 순간까지도.

23년 2월 3일
피치소의 다시 사랑이 온다면

마음을 품은 말

"보고싶다"

겨우 네 글자를 내뱉었을 뿐인데, 또다시 내 마음은 너로 소란이다. 아무도 없는 밤거리에 몰래 숨어들어 고해성사를 하는 사람처럼, 떨리는 숨결에 겨우 딸려 내뱉은 연약한 마음이 단 한숨에 나를 무너뜨린다.
어떻게 막아낸 물결인데, 넌 너무나도 쉽게 넘쳐버린다.
널 떠올리면 항상 그랬다. 네가 내 옆에 있던 그때도, 네가 없는 지금도.

목적지에 결코 닿을 수 없는 말을 몇 번이고 곱씹으며 생각했다. 마음을 품은 말을 미성숙한 우리가 완벽히 구사하는 것에는 한계가 있다고. 그 말은 상대를 함부로 할퀴기도 하니까.
하지만 이렇듯 말은, 간절한 진심은 간직하기만 해서는 결코 전해질 수 없다는 사실을 나는 비로소 깨닫는다.

우리를 잃고 난 지금에서야.

금세 공중으로 흩어질 이 말이 단 한 번으로 내가 쌓아 올린 둑을 완전히 무너뜨렸듯, 기어코 말로 내뱉어질 수밖에 없던 마음은 단 한 번으로도 어떤 결과를 바꾸기도 하니까. 누군가 간절히 되돌리고 싶어 하는 결말까지도.

전할 수조차 없어진 말은 목적지를 상실한 채 연신 울부짖었다. 나를 그곳에 데려가 달라고.
미안하지만 그럴 수가 없다.
내가 상실한 것은 내 마음뿐만이 아니기에.

2022년 12월 14일
밤거리를 헤매던 중에

흑백

많은 '우리'가 가지는 흔한 편견.
화려한 유채색 사이에서 차갑게, 단단하게 고립되어있는
흑백.

이건 우주였다가, 유리잔 안에 담긴 *멜랑제였다가.

많은 이들의 틀에 갇힌 '색'이 가지는 무한한 가능성.
흑백의 사진 안에서 흐르는 감정들, 넘치는 온도, 색들.

*단골 카페의 시그니처메뉴
2018 네이버 웹툰 [화장 지워주는 남자]를 보고.

버스, 비

늘 똑같은 퇴근 버스 안, 핸드폰 화면만 들여다보는데 타닥타닥 모래 굴러가는 소리가 들렸다. 고개를 돌려보니 버스 차창을 타고 대차게 빗줄기가 부딪혀오는 소리더라.

나는 문득 홀가분한 마음이다.
웃음이 비죽 하고 입꼬리 틈새로 빠져나온다.

이상하리만큼 난 비 에겐 늘 관대했다.
몇 년 전, 갑작스런 폭우로 도로에 갇힐뻔했던 날이었다. 자전거도 뒤로한 채 물에 빠진 생쥐 꼴로 집에 돌아와, 온 살결에 질기게 달라붙는 옷가지와 씨름하면서도 난 웃었다.

버스 창문이 없었다면, 지붕이 없었다면 속절없이 맞닥뜨려야 했겠지. 그래도 난 웃었을 것이다. 손을 들어 기꺼이 물줄기가 내 팔에 미끄럼을 타도록 허락했을 것이다.

창이 없는 곳에 서고 싶다.
그 무엇도 너와 날 막을 수 없는 곳에.
벽, 지붕 따위의 것들, 견고하게 쌓아 올려진 것들이라던가 물리적 거리보다도 창을 사이에 두고 서 있는 것이 더 곤욕이다.

바로 발치에 있는 듯 선명한데, 잡을 수는 없으니까.
무엇인가 가로막고 있는 것은 분명하나, 이유를 알 수 없으니 더 집요해진다.

그래서 난 창이 없는 곳에 서고 싶다.
창이 없는 곳에서.

2023년 11월 3일

좁아진 하늘

내가 살던 곳은 하늘을 보기 좋은 동네였다.

내가 꽤나 나이를 먹고 나서는 점점 하늘이 좁아졌다.

그게 너무 슬펐다.

2019년 8월 4일
시내, 건물 사이를 걷다가 문득

대성빌라

처음에는 이곳에까지 오를 생각은 없었다. 그런데 이 주변을 배회할수록 진심 뒤에 숨어 흐릿해진 마음이 점차 선명해져 갔다. '한 번쯤 다시 그 옥상에 오르고 싶다.'라는. 쉽사리 자리를 뜨지 못하고 주변을 배회하는 내 동선처럼, 복잡하게 얽히고설킨 감정이 자꾸만 내 마음의 옆구리를 마구 찔러댔다.

옥상에 발을 딛자마자 마치 영화의 한 장면처럼 눈물이 터져 나왔다. 나는 미친 사람처럼 웃으면서 울었다. 둘 중 무엇인지 분간이 안 되는 소리가 입 밖으로 터져 나오는데, 말 그대로 미칠 듯한 감정에 참 아이러니하다고 생각한다. 이곳에서의 나는, 우리 가족은 두 번다시는 겪고 싶지 않은 일들을 겪어야만 했다. 그때의 우리는 참 힘들었다. 항상 힘들다고 생각했는데, 어린 나이였지만 알 수 있었다. 지금은 정말 좋지 못한 순간에 와있노라고. 그럼에도 불구하고 나는 이곳에서의 날들을 그리워하고 있었다.

전에 살던 곳을 떠나오기 전, 가구들이 하나둘씩 옮겨지고 텅 비어있는 방안에서 엄마와 나, 셋째 언니 셋이서 나란히 누워 잠을 잘 때가 있었다. 나도 가족들 몰래 참 많이 울었지만, 그때 본 엄마의 눈물은 잊히지가 않는다. 나는 정붙이고 살던 곳을 떠나야 한다는 것에 대한 슬픔이었지만, 엄마의 눈물은 훨씬 더 크고 깊은 절망이었다. 당신을 아끼지 않고 지켜낸 집이었다. 쓸쓸한 인내가 녹아든 곳이었기에. 그때의 엄마는 어린 내가 봐도 참 서럽게 울었다. 마치 아이인 나처럼.

나는 연분홍과 연회색 그리고 흐릿한 푸른빛이 뒤섞인 하늘을 보면서 연신 '예쁘다'라는 말을 중얼거렸다. 그것은 일종의 도피였다. 보는 이는 없었지만, 나 스스로에게 '풍경이 너무 예뻐서 우는 거다.'라며 변명을 늘어놓는 것과 같았다. 호흡을 가다듬고 저무는 오후의 햇빛을 받아 포근하게 물드는 주변을 바라본다. 출입구 옆의 작은 공간을 차지하던 낡은 소파와 그 맞은편에 자리 잡고 있던 텃밭은 어느덧 사라지고 없었다. 아주 작지만 값진 것들이 열려있는 텃밭이었다. 매우 공들여 만든 느낌은 아니었지만, 털털한 애정으로 키워져 단 한 번도 열매를 맺지 않은 적이 없었다. 반대편에는 해 질 녘의 빛도 건물에 가려 온전히 차지하지 못하는 공간이 있었는데, 그곳에는 낡은 행거 한 개가 놓여있었다. 볕이 좋은 날이면 실행력이 대단한 엄마의 명령에 따라 셋째 언니와 둘이서 무거운 이불을 짊어지고 계단을 올라야만 했다. 짜증 섞인 발소리를 유난스레 내며 마침내 그곳에 다다를 때면, 선선한 바람이 내 머리카락 사이사이를 파고들어 왔다. 나도 모를 사이에 짜증은 사그라들고, 그 바람과 온도에 두 눈이 자연스레 감겼다. 나는 이곳에서, 그 시간대에만 느낄 수 있는 오후의 느낌을 사랑했다. 해소되지 못한 채 꽉꽉 들어차 있던 내 안에 시원한 바람이 들어 좋았다. 구름 한 점 없어 달과 별이 선명하게 차오른 밤에는 11살 차이의 큰언니가 어린 시절 사용한 아주 오래된 망원경을 들고 밤의 계단을 부지런히 올랐다. 때로는 조금 덜 차오르기도, 때로는 완전히 차올라 동그란 달의 표면을 기웃거리기도 했다.

이곳에서의 모든 소소한 날들이 어떻게든 살아보라며 내 등을 쓸어주었다. 무심히 텃밭에 물을 주고는 결국 열매를 맺게 한 그 손길처럼.

계단을 내려와 자전거에 올라탔다. 페달을 밟으며 앞으로 나아가는데, 왜인지 달리는 것이 아닌 날아오르는 기분을 느낀다. 나는 더 이상 그 옥상에 오르지 않을 것이다.

지금에서야 비로소 인사를 전한다. 움츠러들었던 내 등을 조용히 쓸어준 그 모든 순간, 참 고마웠다고.

2021년 1월 17일
머리를 자르러 갔다가.

하늘과 바다

때로는 하늘이 바다처럼 느껴지기도 했다.
푸른 빛과 넘실대는 구름은 그 끝을 알 수 없는 것까지 닮아있었으니까.

땅과 하늘의 끝은 지평선, 바다와 하늘의 끝은 수평선이라고 칭하는데 정작 하늘의 끝은 무엇이라 칭하는지 알지 못했다. 천평선인가? 하며 검색해보니 정말 그런 단어가 있더라. 그런데 도무지 마음에 와닿지가 않았다. 입에 잘 올리지 않던 단어여서 그런가. 여하튼 그랬다. 그래서 나만의 정의를 내려보자고 생각했다. 고민은 길지 않았다.

그 대답은 너였다.
바다든 하늘이든, 그 생각의 끝엔 항상 네가 있었기에.

2024년 6월 8일

별난 사람

참 별나다는 말을 많이 듣고 살았다. 내 혈육에게조차도. 까탈스럽다는 말은 덤이었다. 그런 까닭인지 내 10대와 20대는 참 치열했다. 많은 미움을 샀었다. 크고 작은 다툼은 끊이질 않았고, 많은 사람을 잃었다.

사람들은 나를 그런 일 따위엔 흔들리지 않는 독한 X로 보곤 했는데, 사실 난 그렇게 강하지도, 쿨한 사람도 아니었다. 그저 약한 부분을 들키고 싶지 않은, 자존심이 센 여고생이었을뿐. 어딜 가나 따라붙는 미움은 마치 새 옷에 달린 택처럼 거슬리고 아팠다. 그래서 꼿꼿한 무표정 안으로 참 많은 울음을 삼켰다.

하지만 곧 서른을 바라보는, 어느덧 이 별남의 모서리도 조금은 무뎌진 지금의 나는 여전히 생각한다.

고리타분한 사람이 될지언정 책을 놓지 않는 사람이, 글을 사랑하는 삶을 살 것.

고고한 척한다는 말을 들을지언정, 이유 없는 비난에 가담하면서까지 누군가와 함께하려 하지 말 것. 차라리 혼자임을 자처할 것.

무뎌져도 될 일과, 결코 무뎌지면 안 될 일을 구분할 수 있는 어른이 될 것.

누군가는 '실속 없다'라고 말하는 일들을 여전히 사랑할 것.

아주 오래 걸렸다. 더 이상 별나다는 말이 따갑지 않게 될 때까지.
맞다. 나는 아주 별난 사람이다.

2024년 6월 6일

나는 이 여름을 사랑한다.

나는 이 여름을 사랑한다.
정확히 말하자면 비가 동반하는 모든 여름을 사랑해왔다.

발바닥 전체에 끈질기게 달라붙는 이 끈적한 촉감도, 넘기는 책장에 배어있는 눅눅한 비의 숨결도, 흔들리는 나무의 머릿결을 타고 오는 파도의 부서짐과 같은 소리, 녹진하게 내려앉은 이 계절의 색감과, 발치에 바로 닿아있는 듯 선명하게 전해지는 피비린내와 같은 냄새까지.

잠시 멈추어 비를 바라보는 사람들의 옆얼굴을 좋아한다. 짜증 섞인 표정, 입가에 슬며시 자리 잡은 즐거움, 도무지 읽히지 않는 시선까지.

한바탕 비가 지나가며 응어리져있던 날들이 함께 씻겨 내려간다. 어디로 흘러갈지 그 끝의 유무조차 장담할 수 없지만, 어찌 되었든 흘려보낼 수 있게 된다.

그리고 다시 일어설 힘을 갖는다.
맑게 갠 하늘을 보며 미약하게나마 미소를 짓는다.

여전히 정의할 수 없는 너와의 시간이지만, 이제는 보내는 법을 배운다. 완전히 후련한 기분은 아니지만, 그래도 손을 흔들 수 있는 여유 또한.

한 사람을 사랑한 자신을 정의하는 것 자체가 실은 말이 안 되었다고 생각한다. 그때만큼 다채로웠던 내가 또 있을까.

정의는 무의미해지고, 울고 웃고 절망하고 초월해있던 수많은 날의 나를, 이제는 빗물에 씻겨 멀어지는 나를 바라보며 말한다.

즐거웠다. 라고.

2022년 7월 13일

담담하다

담담하다: 물의 흐름 따위가 그윽하고 평온하다.

열다섯부터 스물여덟까지의 너는 한결같이 잔물결 같은 사람이었다. 어느 집단에든 쉽게 흡수되었다가 또 쉽게 혼자가 되기도 하는. 누구에게도 미움받지 않고, 잔잔하게 스며들어있는 그런 사람.

그런 너에게서 딱 한 번 어둠을 본 적이 있다. 그 나이 때의, 그런 종류의 어둠이 마음을 얼마나 갉아먹는지 나는 누구보다 잘 알고 있었다. 너에게 그 말을 들은 날, 집에 돌아와 너 혼자 삼켰을 그 밤이 얼마나 길었을까, 깊었을까 하며 불 꺼진 방 안에서 너의 어둠을 껴안았다. 그런데 그 안에 단단한 빛이 있더라.

나는 어둠을 가져본 사람만이 낼 수 있는 빛을 안다.
나 또한 그랬기 때문에.

타의든 자의든 어둠을 걷어내고 나온 빛은 단단한 힘을 가진다. 다른 이들이 보는 나의 단단함 또한 그 어둠에서부터 시작되었으니까.

넌 너의 그 빛을 모를 수도 있겠지만, 자신도 모르는 한 부분을 누군가 먼저 알아봐 주는 일은 선물과도 같은 일이라고 하더라.

너의 이름처럼 담담한 그 빛을 알게 되는 날이 오길.

2024년 5월

To.담

이해

너와 손은 잡지 못한 건, 시작이라는 말 뒤에 올 끝이 두려워서다.

너와 있을 때의 난 왜 이토록 맘이 놓이는지, 자연스레 올라가는 너의 입꼬리에 시선이 가는지, 네가 불러준 노래를 하염없이 반복하는지 너는 알지 못했지만, 나만은 명확하게 인지하고 있었으니까.

너와 난 많은 부분이 닮아있었다. 넌 아니라고 부인하곤 했지만, 너에게서 종종 과거의 나를 보곤 했다. 늘 이유도 모를 간절함에 뒤틀려있던 나, 서툴렀던 나, 허황된 것에 목메던 나, 결국 나를 죽이는 사랑을 하던 나.

내가 사랑해마지않는 것들과는 결국 영영 남이 되어야만 했던 과거를 떠올리며, 나는 너의 손을 기꺼이 잡고만 싶었던 마음을 조용히 거뒀다.

누군가는 나를 힐난할 것을 안다. 그렇지만 너는 그만큼 잃고 싶지 않은 인연이었다. 때로는 관계를 조금 망가뜨릴지언정 잃지 않기 위해 놓아야 하는 순간이 온다. 네가 그랬다.

그래도 내심 안도한다.
실타래같이 얽히고설킨 수만 갈래의 결말 속에서 희미해진 관계의 꼬리라도 연명할 수 있게 되었으니.

나를 이해하지 못할 것이란걸 안다.
그래도 나는 이것으로 되었다.

2023년
권진아의 위로를 듣다가.

추모

나는 문득 과거의 말들을 생각한다.
현재의 나와는 분명 다르지만, 어딘가 비슷한 얼굴을 하고 있는.

입 밖으로 내뱉어질 기회조차 사치였던 마음들은 주로 늦은 밤이나 새벽, 반듯하게 줄지어 서 있는 공책들 중 한 면에 쓰여졌다. 나는 어떤 날은 대담하게 써 내려가기도, 또 어떤 날은 단순한 단어에도 하염없이 고심하기도 했다. 자유로웠던 내 언어들은 서로 엉겨 붙었다가 해체되기를 반복하고, 그 안에선 새로운 융합이 일어나기도 하며 종이 위 가로줄을 미끄럼틀 삼아 내게 와 담겼다.

이제는 애써 찾아보지 않고서는 도저히 떠올릴 수조차 없게 되어버린 언어들. 서른에 바짝 다가선 내가 그 앳된 마음 앞에서 되레 흠칫한다. 이건 누구지. 이런 글을 쓴 사람이 정녕 내가 맞나. 하며.

상실해버린 내 어린 날에 대하여.

인간은 삶이라는 긴 여정 위, 더 어린 숫자 앞에 그때의 감정과 표현을 모두 두고 매년 백지의 상태로 새로이 출발한다. 나이를 먹을수록 농후해져 가는 경험은, 어쩌면 인간이 짧은 생에서 겪는 가장 공허한 현상이 아닐까. 분명 쌓이고 있지만, 그만큼 두고 오는 것들이 많다. 사실상 그것 중 마땅히 놓을 수 있는 것은 단 한 가지도 없었을 텐데.

그때의 우리는 마치 다른 사람처럼 생각하고, 말하고, 행동했다.

그때의 나를 다시 한번 보고 싶다.
서투르지만 가장 나답고, 그렇기에 가장 어두운 흑(黑)과 가장 밝은 백(白)을 품었던 그 마음을 단 한 번만이라도.

2023년 2월 4일

영

0+0=0이다.

하지만 나에게 0+0=∞ 무한

영을 한한 마음

2023년 11월 24일
'정'으로부터

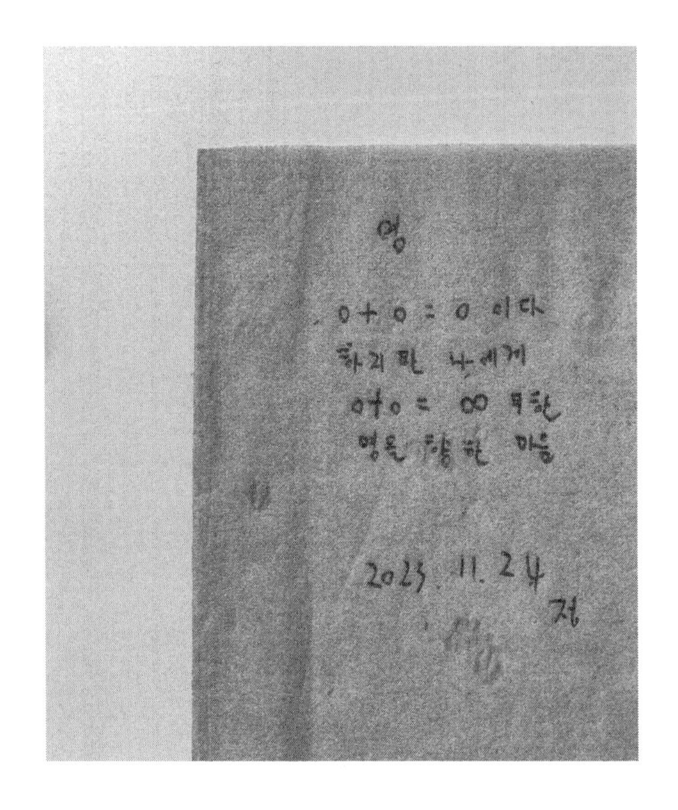
영
0+0=0 이다
하지만 나에게
0+0=∞ 무한
영원 향한 마음
2023. 11. 24

만년필 같은 사랑

오랜 절망과 끝내 굴복해버린 내 마지막 사랑을 뚫고 네가 들어왔다. 넌 비척거리는 내 뒤로 조용히 등을 대주는 사람이었다. '세상에 나쁜 사람은 없어.'라는 말을 늘상 버릇처럼 하는 사람. 만년필 같은 사랑을 하는 사람. 그 무던함으로 내 만성 같은 불안을 덮어버리는 사람.

짧은 이별을 반복하던 그때, 언젠가 너에게 편지를 썼다. 이토록 요란한 우리의 연애가, 사실은 가장 교과서적인 연애가 아닌가. 생각해봤다고. '결과보다 과정이 중요하다.' 학창 시절 귀에 딱지가 앉도록 들은, 고리타분한 이 말에 충실한 연애이지 않냐고. 우린 뻔한 결론 앞에서도 계속해서 서로이기 위해 노력했다. 정확히 말하자면 나는 결국 너였기 때문에.

왜 너여야만 하는지를 생각했다. 연애를 하면서 내게 작은 흠집이라도 낼까 가슴 졸이던 이들도 있었다. 그런데 왜 하필이면 이토록 깊은 생채기를 남기는 너여야만 했는지를 생각했다.

악의가 만연한 세상에서 주저 없이 선함을 믿노라고 말하는 네가 좋았다. 과하지 않게 배어있는 다정함이 좋았다. 그 다정함을 모르는 네가 좋았다. 우리가 더 가까워지기 전 '영아'하고 네가 전화를 받았던 날, 나는 설렘에 잠 못 이루기도 했다.

넌 내가 그토록 갈망하고 꿈꾸던 사람이었다. 내 글에 눈물지어 보이면서도, 본인의 감정에 관해서는 한결같은 사람. 올바른 사랑으로 길러진 단단함과 여유를 가진 사람.

가지 말라는데 가고 싶은 길이 있다.
그게 너였다.

그래서 또 눈을 가렸다. 이 과정의 끝은 어떨지, 과연 예측한 결말이 기다리고 있을지 알 수 없게 됐지만, 우리가 끝까지 함께로서 행복할지 알 수 없지만, 나는 그저 너에게 어떤 형태로든 행복으로 남고 싶었다. 세상에는 많은 종류의 행복이 존재한다지만, 그 어떤 것이 된다 해도 상관없었다. 그중 하나면 충분했다.

이후 꽤 오랜 시간이 흘러 함께일 수 없게 되었더라도, 너에게 있어서 나라는 사람은 네 안에서 가장 빛나는 기억이길 바랐다.

Dear.0114
2024년 6월, 류이치 사카모토-Aqua를 듣다가.

만년필같은 사랑-요시모토 바나나의 [키친]
가지말라는데 가고싶은 길이 있다-나태주의 [그리움]의
한 구절을 인용하였습니다.

장면

너와의 만남에 여러 이유를 찾던 때가 있었다.
이 만남이 나에게 유익한지, 그렇지 않더라도 이 모든 것을 감내할 만한 가치가 있는지.

사람과 함께일 땐 순간순간마다 장면이 생긴다.
버스킹을 들으며 밤바람을 맞고 있는 우리, 술에 취해 네 손에 낙서하던 나, 티비쇼를 보며 웃는 나를 보다가 되려 숨도 쉬지 못하고 웃던 너, 네 앞에서 울며불며 소리치는 나, 우는 나를 뒤로한 채 택시를 타던 너까지.

무수히 많은 장면 속에 우리가 있다. 함께 웃음 짓기도, 처절한 사투를 벌이기도 했던 우리. 함께하는 시간이 길어질수록 젖은 종이처럼 겹쳐진 장면들은 행복과 불행을 분간할 수 없을 만큼 혼란스럽기만 했다. 나는 어떤 장면을 원하는 것일까. 우리의 만남이 진정 행복인가? 우리는 언제 가장 우리다웠을까.

옛날 대중가요가 흘러나오던 그 술집을 기억한다. 전람회, 김형중, 토이를 비롯해 대학가요제가 흥행하던 시절의 곡들. 갑자기 네가 잔잔한 음악의 숨결처럼 사소한 이야기를 늘어놓기 시작했다. 이 시대의 음악들은 이렇다. 가사에 집중하고 있다 보면 뭐든 털어놓고 싶어진다. 별일이 별일이 아닌 것처럼 만드는 힘이 있다.

덤덤히 자신의 이야기를 하는 너의 옆얼굴을 본다. 내가 좋아하는 너, 온전한 너를 내보이는 이 순간, 내가 사랑해마지않는 그 얼굴을.
무수히 많은 음성을 뚫고 조용히 노랫말에 스며든 너의 목소리만이 내 귓전을 울렸다. 그 많은 사람들 속에서 난 너만 보였다.

문득 생각했다.
이 장면 하나면 충분하지 않은가.
우리의 만남이 진정 행복인지, 뭐 이런 것 따위가 중요한가. 지금, 이 순간의 너 하나면 충분하지 않은가.
실은 많은 것이 필요하지 않았다. 이 장면 하나면 내겐 충분했다. 너를 사랑할 이유는.

2024년 6월 Dear.0114

무책임한 감정들

밤이 오고, 마음이 맞는 이가 앞에 있고, 얼큰하게 술기운이 올라 몇 번이고 잔을 부딪칠 때면, 꽁꽁 숨겨두었던 진심이 손쓸 새도 없이 입 밖으로 쏟아져 나온다. 단어들이 자의식을 갖고 머릿속에서 앞다퉈 튀어나오고 싶어 한다고 말하면 이해할까.

무책임한 감정들.
책임은 결국 나의 몫인데도.

2017년 11월
소사벌, S.Y와의 약속에서
취중에 가게 메모지에 적은 글2

마음이 들어맞는 소리

짧은 사이에 마음이 맞아 들어가는 사람이 있다.
오래 알지 않았어도 시간을 초월한 애틋함이 발현되는.
그럴 때면 마음에서 딸깍하며 태엽이 맞물리는 소리가 들리는 착각이 인다. 멀리 있을 땐 그 존재조차 모르지만, 한번 맞물리기 시작하면 결코 분리할 수 없는.

비슷한 경우가 또 있다.

누군가와 함께 한 바다, 하얗게 부서지는 파도에 마음이 흔들리고 있다 보면, 물결끼리 마주치는 소리가 마치 사람의 발소리 같이 들리고는 했다. 마음과 마음이 맞아 상대에게 다가가는 발소리.

그래서 사랑하는 사람이 생기면 바다에 갔다. 확신이 있었는데도 막상 그 파랑 앞에 섰을 땐 어떤 소리가 나기도, 나지 않기도 했다.

소리가 나지 않아도 아쉽지는 않았다. 때로는 내 마음만으로도 충분했기에.

줄 수 있는 마음이 있음에 안도했다.
그것이 나의 방식이었다.

2024년 6월

늘 그랬듯

축축한 감정에 짓눌린 밤에는 쏟아지는 졸음에도 밤새 잠 못 이룰 때가 많았다. 그런 때 홀로 밤거리에 스며들어 몇 시간이고 헤맬 때면 항상 그 이름들이 떠올랐다. 문득 너와 너의 목소리가 듣고 싶다. 변덕스러운 나의 푸념을 한참을 들을 것 이란 걸 알면서도, 단 한 번을 가볍게 전화를 돌린 적이 없는 너희를 생각한다.

오늘도 그러했다.
늘 그랬듯 신호음이 몇 초도 가지 않아 목소리가 들렸다. 늘 그랬듯 별 이야기는 없다. 요즘 별 일 없다는, 별거 아닌 그 한마디에 낮게 신음하던 내 기분은 질량을 잃고 공중으로 흩어져버렸다. 항상 그랬다. 내 마음과 나도 모를 약속이라도 한 것처럼 목소리만 들어도 그렇게 되고 만다. "내가 조금 전까지 기분이 진짜 별로였는데, 네 목소리 들으니까 기분이 좋아졌어. 고마워." 나의 말에 짧게 고민하던 너는, 또 늘 그랬듯 이유를 캐묻거나 해결책을 제시하는 등의 방법을 택하지 않는다. 그냥 "그렇게 생각해줘서 고마워." 이 말뿐이다. 그게 또 얼마나 고맙던지.

어떤 관계는 이렇다.
말이 빙빙 허공을 돌아도 그 시간이 아깝다고 생각되지 않는다. 무언가 특별한 일을 하지 않아도 함께하는 매 순간이 일생에 좋은 장면으로 남는다. 오가는 유치한 말장난에도 서로가 유치해지고 있음을 망각하게 만들고, 침묵 속에서도 서로 같은 음식을 먹고, 같은 풍경을 바라보는 것만으로도 충분한 대화를 나눈 것과 같은 기분이 든다.

너희가 존재만으로 내게 지대한 영향을 끼칠 수 있게 된 것은 단순히 내 마음 때문이 아니다. 이것은 지극히 너희가 좋은 사람이어서다. 마땅한 이유가 있더라도 그것을 핑계로 삼아 남을 쉽게 이야기하지 않는 너희라서 좋았다. 지극히 개인적인 대화방에서조차도 자극적인 대화란 찾아볼 수 없는 너희여서 좋았다. 우리가 함께일 땐 하늘빛이 꼭 아크릴로 칠해놓은 듯 아름답다는 얘기를 나누거나, 갑작스럽게 카메라를 들이밀었을 때 이유 없이 지어 보인 엽기적인 표정에 함께 박장대소 하고는 했다. 대학 때 과제로 며칠 밤을 지새웠던 일, 미래에 작은 부지

위에 타운을 만들고 함께 이웃으로 살면서 외롭게 늙어 죽지는 말자, 뭐 이런 이야기가 다였다. 고작 이런 것들뿐이었다. 그래서 좋았다. 너무나도 무해한 너희가, 흔히 남자들은, 남들도 다 그렇다는 말에 너무나도 청렴하게 반하는 너희가, 그런 방식이 아니어도 계속해서 유한한 삶의 즐거움을 찾을 줄 아는 너희가 좋았다. 너희라서 좋았다.

늘 그랬듯 뻔하게 내 곁에 있어 주는 너희여서.

2024년 6월
바보들에게.

사랑

가수가 앨범을 발매했을 때 나는 글로 먼저 곡을 접하고는 하는데, 아이유의 Love wins all도 그러했다. 멜로디보다도 앨범 소개라던가, 가사에 먼저 집중하게 된다. 이번 앨범의 소개 글을 봤을 때, 도대체 이 사람은 어떤 삶을 살아왔길래 이 짧은 글 하나로 한 인간의 마음을 이토록 일렁이게 만 들 수 있단 말인가. 하는 충격과 동시에, 예술은 확실히 경계가 모호한 편이구나. 하는 생각이 들었다. 그 글이 내게는 덤덤하게 쓰여진 책의 한 구절로 보였기에. 가사 또한 그렇다. 잘 쓰여진 가사는 그저 멜로디를 담는 용도로만 쓰이지 않고 그 자체로 귀에 와 박힌다. 귀로 듣는 책 같다. 일상에 가려져 몸을 웅크리고 있던 생각의 깊은 골을 터트린다. 그래서 단어를 알맞게 활용한, 잘 쓰여진 가사를 담은 곡을 좋아한다. 글은, 언어는 삶에서 아주 다양한 모습으로 존재함을 증명해주니까.

*누군가는 지금을 대 혐오의 시대라 한다. 분명 사랑이 만연한 때는 아닌 듯하다. 눈에 띄는 적의와 무관심으로 점점 더 추워지는 잿빛의 세상에서, 눈에 보이지 않는 사랑을 무기로 승리를 바라는 것이 가끔은 터무니없는 일로 느껴질 때도 있다. 하지만 직접 겪어본 바로 미움은 기세가 좋은 순간에서조차 늘 혼자다. 반면에 도망치고 부서지고 저물어가면서도 사랑은 지독히 함께다. 사랑에게는 충분히 승산이 있다.

지독히 맞는 말이라고 생각한다. 대 혐오의 시대. 미움이 이기는 시대. 아주 사소한 동기만으로도 쉽게 미움을 허용하는 우리. 늦은 밤 화장실을 사용하는 이웃이 밉고, 항상 말을 두세 번 하게 만드는 동료가 밉다. 숙면을 방해하는 놀이터의 해맑은 아이들의 웃음소리가 밉고, 이 찜통 속에서 내 어깨를 스치는, 얼굴도 모르는 그가 밉다. 더 이상 이런 상황에 대하여 '그럴 수도 있지'라고 대답하는 이를 찾아보기 힘들다. 그만큼 미움에 대한 공감도 빠르게 확산되어져 갔다. 그 속에서 실속 없는 사랑을 이어 나간 나는 엄청난 비난을 감내해야만 했다. 나는, 사랑마저도 똑똑하게 하지 못하면 미움 받는구나. 하며 탄식한다. 그래서 그런가. 요즘은 혼자이길 자처하는 이들이 늘었다. 비혼주의를 떠나 누군가와 함께이길 거부하는 이들. 그에 더해 사랑하는 삶 자체를 부정하는, 그것은 그저 낭비에 불과하다고 말하는 이들. 하지만 대중의 사랑과 미움으로 범벅된 삶을 살아온 그녀가 말하지 않았는가. '사랑에게는 충분히 승산이 있다.'라고. 본인의 불행과 외로움을 글쓰기의 원동력으로 삼던 내가 써낸 이 책도 그 반이 사랑에 관한 이야기이지 않나. 물론 모든 사랑이 웃는 결말은 아니었지만, 꼭 그런 결말을 가진 사랑만을 사랑이라 볼 수는 없다. 사랑을 향유하는 삶 자체에 의미를 두는 것이다. 어떤 사람이든, 일이든, 현상이든, 혹은 그 어떤 것이 되었든 간에 진득한 사랑 뒤에는 꽤나 값진 결과물이 남기 때문이다. 말로 형용하거나 시각적 이미지로 완벽하게 형상화할 수 없는. 이것은 '굳이'라는 말 뒤에 붙는 이런저런 피곤한 일들을 감수하면서 기꺼이 사랑한 이들만이 누릴 수 있는 감정이다. 사랑한 자의 특권이라 감히 말해본다.

*아렌트의 관점을 응용하자면, 사랑하지 않는 자는 없다. 정작 물어야 할 것은, 무엇을 사랑해야 하는가 하는 점이다. 말하자면, 사랑하지 말라고 촉구하는 것이 아니라 마땅히 사랑해야 할 것을 사랑하라고 말하는 것이 옳다.

그렇다고 해서 사랑을 기꺼이 포기하는 이들의 삶이 잘못되었다는 것은 아니다. 그런 삶을 살 수밖에 없는 현재인 것 또한 인정하기에. 다만 미움마저 종국엔 사랑으로 귀결되는 인간인 내가 감히 말해보자면, 일단 사랑하라는 것이다. 앞서 언급한 의견을 빌려 본인에게 있어서 마땅히 사랑해야 하는 것을 찾으라고 말하고 싶다.
각기 다르지만, 아주 알맞은 모양의 사랑을.

우리,
사랑마저 포기하는 삶을 살지는 말자고 말하고 싶다.

2024년 6월 13일
*아이유 「Love wins all」 곡 소개
문시영 「아우구스티누스와 덕 윤리」의
한 구절을 인용하였습니다.

마무리하며

틈새의 빛 i

내 글의 원동력은 나의 좌절이었다.
나의 절망이고, 불행이었다.

이것들이 내 이야기의 그럴싸한 소재가 되어 주었기에, 때로는 이것이 남들과는 조금 다른 능력이라고 생각되어질 때도 있었다. 그러나 요즘의 나는,
나, 더 어린 얼굴을 하고 있었을 적 곁을 함께했던 이들이 말하는 '너 좀 변했다'하는 요즘의 나는, 외적인 부분만큼이나 이 안에서도 느리지만 분명 변화하고 있는 것이 여럿 있었다.

늘 어딘가 서늘했던 나의 그럴싸한 소재가, 다른 온도로 누군가의 가슴을 쓸어줄 수 있다면. 그럼 그때의 나는 조금 더, 아주 조금 더 행복하지 않을까. 하는.

나에게 이런 빛은 없다고 생각했는데 그 빛이 조금씩

새어 들어오는 내 안은, 이제 한 발 겨우 딛고 서 있을 수 있을 만큼의 따스함 뿐인 데도 나를 이만큼이나 변화시키고 있다.

언젠가 이 글을 읽고 있을 나와 닮은 이들에게.
당신, 당신들은 언제든지 이 빛을 받아들일 준비를 하고 있으라는 말을 전하고 싶다. 이 짧은 생에 예상치 못한 빛의 순간이 시나브로 다가오고 있음을.

우리는 사실 언제나, 늘 그렇게 하고 싶었기 때문에.
그렇게 되고 싶었기 때문에.

2020년 1월
나와 닮은 당신들에게.

틈새의 빛 ii

아주 컴컴한 어둠 속에서 사는 소녀가 있다.
이 어둠 속 밝은 부분이라고는 아주 약간의 빛이 들어오는 틈새뿐이다.

그러던 어느 날, 소녀의 집에 하나의 소포가 도착한다. 그 안에는 작은 화분과 편지 봉투 두 개가 들어있었다. 첫 번째 편지에는 '이 새싹이 무럭무럭 자라게 하려면 물과 빛이 필요하단다. 두 번째 봉투는 새싹이 자라 시들면 열어보렴.'이라고 적혀있었다. 소녀는 작은 화분을 방 안의 유일한 빛이 드는 틈새의 앞에 놓아 물을 주고 햇볕을 쬐어주었다.

시간이 흘러 새싹이 무럭무럭 자라 작은 틈새의 빛 보다 커지자 빛이 모자랐던 잎들이 점점 마르기 시작했다. 소녀는 두 번째 편지 봉투를 열어보았다. 그 안에는 마을의 지도와 쪽지 한 장이 들어있었다. '그 아이에게는 더 많은 빛과 양분이 필요하단다. 그렇지 않으면 결국 말라 죽어버릴 거야. 내가 도움을 줄 수 있으니 마을의 꽃집으로 오렴.' 소녀는 빛이 가득한 밖으로 나가야 한다는 생각에 공포에 휩싸였다. 하지만 어둠 속에서 조용히 말라가는 화분에 자꾸만 시선이 갔다. 이내 검은색 후드를 뒤집어 쓴 소녀는 한 손에는 화분을, 한 손에는 지도를 들고 오랜 시간 굳게 닫혀있던 문 앞에 섰다. 그 문이 마치 거대한 성벽같이 느껴졌다. 소녀는 눈을 질끈 감고 그 성벽을 넘어 한 발짝 내디뎠다.

처음 마주한 문밖은 온통 밝은 빛의 세상이었다. 형형색색 아름답게 물든 나뭇잎들, 새들의 노랫소리를 닮은 아이들의 웃음, 어깨를 부드럽게 스치고 지나가는 바람의 몸짓까지. 다채로운 세상의 모습에 온 정신이 팔려있던 소녀는 한 가게 앞에 놓여있던 작은 화분에 발이 걸려 넘어지고 만다. 고개를 들어 보니, 그곳이 바로 마을의 꽃집이었다.

꽃집의 주인 할머니는 소녀를 바로 알아보았다. 깊게 눌러 쓴 후드에 눈을 찌를듯한 앞머리, 손에 들려있는 마른 화분이 단박에 그 소녀라는 것을 알려주었다. 할머니는 화분에 물과 영양분을 주고, 큰 창문 앞에 놓아 충분한 빛을 쬐도록 해주었다. 소녀가 조심스레 물었다.

"왜 저에게 이 화분을 보내신 거예요?"

그러자 그녀가 대답했다.

"아이야, 이 작은 화분이 자라는 데는 물도 필요하고 영양분도 필요하지만, 가장 중요한 건 바로 빛이란다. 빛은 아이의 머리를 아주 부드럽게 쓰다듬는 엄마의 손길과 같지. 아무리 좋은 음식을 먹이고 예쁜 옷을 사입혀도, 누군가의 관심과 따뜻한 마음이 없다면 이 작은 화분이든 사람이든 결국 시들어버리고 만단다. 더군다나 빛은 아주 적은 양으로도 생명을 자라게 하잖니?"

소녀는 대답하지 않고 밝은 빛을 온몸으로 맞으며 반짝이는 화분을 바라보았다. 그러자 그녀가 물었다.

"이 작은 화분을 자라게 해준 너의 빛은 어땠니?"

고개를 돌려 소녀가 대답했다.

"아주 작은 틈새로 들어오는 빛이었지만, 아주 따뜻했어요."

할머니는 말없이 빛과 같은 웃음을 지어 보이며 소녀의 작은 화분을 건넸다.

집으로 돌아가기 위해 꽃집을 나선 소녀는,
뒤집어쓰고 있던 모자를 벗으며 빛을 향해 걸어갔다.

2021년 3월
창작동화 「틈새의 빛」

생경한 첫 설렘은 점차 흐릿해져가는 현실 속에서,
손바닥보다 조금 큰 종이 안에 가둔 내 활자는
갇힘과 동시에 비로소 자유를 얻었다.
무수한 '너'와 '나'에게 닿아
또 다른 자유를 낳을 기회를 얻었으니.

내 글의 영감은 많은 당신들로부터 시작되었다.
보잘것없는 내 생에 머물며
섬광과 같은 풍경을 남겨준 당신들에게,
우리가 함께 만든 이 언어가 닿길 바라며.

오롯이 나의 언어

발 행 | 2024년 07월 05일
저 자 | 조서영
펴낸이 | 한건희
펴낸곳 | 주식회사 부크크
출판사등록 | 2014.07.15(제2014-16호)
주 소 | 서울특별시 금천구 가산디지털1로 119 SK트윈타워 A동 305호
전 화 | 1670-8316
이메일 | info@bookk.co.kr

ISBN | 979-11-410-9324-2

www.bookk.co.kr